NÓS, OS HUMANOS

Dados Internacionais de Catalogação na Publicação (CIP)
(Câmara Brasileira do Livro, SP, Brasil)

Gikovate, Flávio
Nós, os humanos / Flávio Gikovate. – São Paulo: MG Editores, 2009.

ISBN 978-85-7255-060-4

1. Amor 2. Comportamento humano 3. Individualidade 4. Orgulho e vaidade 5. Razão 6. Relações humanas 7. Sentimentos 8. Sexo (Psicologia) 9. Vícios I. Título.

09-03044 CDD-150

Índice para catálogo sistemático:
1. Comportamento humano:
Aspectos biopsicossociais: Psicologia 150

NÓS, OS HUMANOS

Flávio Gikovate

MG EDITORES

NÓS, OS HUMANOS

Editora executiva: **Soraia Bini Cury**
Editoras assistentes: **Andressa Bezerra e Bibiana Leme**
Capa: **Alberto Mateus**
Projeto gráfico e diagramação: **Crayon Editorial**
Impressão: **Sumago Gráfica Editorial**

MG Editores
Departamento editorial:
Rua Itapicuru, 613 — 7º andar
05006-000 — São Paulo — SP
Fone: (11) 3872-3322
Fax: (11) 3872-7476
http://www.mgeditores.com.br
e-mail: mg@mgeditores.com.br

Atendimento ao consumidor:
Summus Editorial
Fone: (11) 3865-9890

Vendas por atacado:
Fone: (11) 3873-8638
Fax: (11) 3873-7085
e-mail: vendas@summus.com.br

Impresso no Brasil

sumário

Nós, os humanos

introdução

Esse livro é composto de seis ensaios que escrevi ao longo dos anos 1990. Cinco deles correspondem a versões atualizadas – e amadurecidas – de textos que publiquei sob o título "Considerações complementares" na antiga edição de *Uma nova visão do amor*. O primeiro nunca foi publicado em livro e dá o tom que tentei imprimir ao conjunto do trabalho. Trata da forma como nós, os humanos, fomos capazes de utilizar as potencialidades do cérebro.

O primeiro ensaio define a diretriz que tem norteado minhas reflexões acerca da nossa condição biopsicossocial. Entendo a razão como um fantástico subproduto da atividade cerebral. Fantástico porque ganha vida própria e, ao menos em parte, se torna autônoma, capaz de influir sobre o corpo e também de gerar normas ordenadoras da vida social. Essas regras têm estado, mais que tudo, a serviço de organizar os meios de produção e regulamentar a distribuição das riquezas que derivam daí.

Boa parte das minhas considerações visa demonstrar como, nos dias que correm, temos sido mais que tudo influenciados por crenças que emanam da complexa trama social na qual estamos mergulhados. A impressão que tenho é de que perdemos as rédeas dos processos que nos são mais relevantes, deixando-nos dominar cada vez mais pelos componentes biológicos e sociais que nos constituem. Nossa alma – termo tradicionalmente usado como sinônimo de razão –, entidade que nos confere dignidade e permite pensar por conta própria, parece estar esmagada e inoperante.

Meu objetivo com este novo trabalho é esclarecer um pouco melhor a trajetória intelectual que venho percorrendo com base na extensa experiência clínica que acumulei. Pretendo também resgatar uma atitude otimista – cada vez mais rara – em relação à nossa condição. Ela se alicerça na diminuição da dependência das crenças sociais que nos cercam e nos invadem. Temos de restaurar a importância das ideias produzidas por cada um de nós, aquelas que emanam de uma razão atuante, livre e forte.

1 um

Corpo, alma e sociedade

Nós, os humanos, somos uma espécie ímpar e difícil de ser comparada mesmo com nossos ancestrais mais próximos. Nosso cérebro cresceu e se diferenciou de forma extraordinária, criando um "equipamento" difícil de ser entendido, mas gerador de atividades inusitadas que nos capacitaram para funções bastante complexas. Talvez a mais formidável seja a possibilidade de constituição da linguagem. Ela depende de múltiplos fatores, mas passa, antes de mais nada, pelo aprimoramento de inúmeras áreas cerebrais hoje mais ou menos bem mapeadas.

Penso na aquisição da linguagem como um divisor de águas entre duas circunstâncias existenciais completamente distintas. Nossa espécie viveu, ao longo de mais de 100 mil anos, sem ter sido capaz de sistematizar e transferir às gerações seguintes um sistema de sinais que denominassem objetos, ações e sensações. Vivemos, mais que tudo, às voltas com a resolução de necessidades de sobrevivência. Valíamo-nos do que tínhamos sido capazes de aprender por meio de arcos reflexos derivados das experiências objetivas a que estávamos submetidos; servíamo-nos de instintos que nos ajudavam nas tarefas relacionadas com a

luta pela vida e sua perpetuação (sexualidade e instinto maternal).[1]

Nossas condutas práticas não diferiam muito das dos outros mamíferos, apesar de já dispormos de um cérebro bem diferenciado. É como se dispuséssemos do "equipamento" mas não tivéssemos condições de utilizá-lo. Ou, como gosto de dizer, possuíamos o *hardware*, mas não tínhamos sido capazes de constituir um *software* que nos permitisse ativá-lo. É mais ou menos assim que todos nascemos: nossa história pessoal repete a da nossa espécie (em linguagem sofisticada, nossa ontogênese repete a filogênese).

Imagino que em algum momento dos últimos 20 mil anos fomos capazes de dar uso efetivo ao cérebro que já possuíamos há muito tempo, associando de modo estável a presença de determinados objetos a símbolos sonoros – e depois também a desenhos, nossa primeira escrita. Avançamos e atribuímos símbolos também às propriedades dos objetos e aos atos a eles associados. A associação estável de símbolos a objetos implicava a utilização dos mesmos símbolos por todos os membros daquele determinado grupo. Nessas condições, poderiam ser transferidos de uma geração a outra, produzindo uma

1 O termo "instinto" é usado com mais de um significado de acordo com cada autor. Penso que uma boa forma de defini-lo seria como o impulso que determina condutas que não necessitam ser aprendidas (inatas), manifestam-se de forma espontânea e nos ajudam a resolver necessidades de sobrevivência, assim como nos impulsionam para as buscas eróticas (que acabam tendo uma finalidade relacionada com a sobrevivência da espécie). Assim, nossas manifestações instintivas mais evidentes dizem respeito ao medo, às reações agressivas e ao empenho em abordagens sexuais.

sistemática e rápida acumulação de experiências e conhecimento. Imagino que esta possa ter sido a primeira grande revolução "tecnológica", de certa forma parecida com a que estamos vivendo na atualidade.

É claro, aos meus olhos, que a sistematização de determinada forma de linguagem derivava da existência de algum tipo mais ou menos estável de vida em grupo. Assim, a vida coletiva era condição essencial para que pudéssemos ter feito esse avanço fundamental. Condição tão essencial quanto a presença de um cérebro capaz de memorizar um número crescente dos símbolos que agora podemos chamar de palavras.

Não consigo imaginar com clareza até que ponto a aquisição da linguagem influenciou a vida íntima de cada pessoa dentro do mesmo grupo social. **As palavras, agora usadas por todos com o mesmo significado, passam, na mente de cada um, a substituir os objetos ou situações a que se referiam, da mesma forma que os números passam a substituir a quantidade de objetos presentes em um aglomerado.** De uma hora para a outra, passamos a correlacionar as palavras entre si sem precisarmos nos ater diretamente aos fatos que elas representam, assim como os matemáticos podem inventar correlações entre números que têm muito pouco que ver com as quantidades a que inicialmente se referiam.

Passamos a construir pensamentos, ou seja, conjuntos de frases constituídas por palavras que, um dia, foram "apenas" símbolos indicativos de objetos, situações ou sensações. Assim como nossos ancestrais, nós também, à medida que crescemos, nos vemos em condições de utilizar o cérebro para construir pensamentos, imaginar situações que não estão acontecendo, refletir sobre o que nossos órgãos dos sentidos nos informam. Nos sonhos, "vemos" o que não existe – já que estamos de olhos fechados. Sabemos distinguir o que vemos daquilo que imaginamos mesmo quando ambos nos chegam sob a forma de imagens.

Vamos nos tornando capazes de tarefas mentais cada vez mais sofisticadas, sendo que muitas delas são abstratas. Conseguimos imaginar o que está se passando na mente dos outros. De repente, somos inclusive conscientes da nossa condição: percebemos que, como os outros animais, somos mortais. Vivemos sabendo que um dia morreremos e nosso corpo se reintegrará à terra.

O aspecto mais relevante relacionado com o processo de sofisticação da utilização do nosso cérebro é que não vivenciamos os pensamentos e sensações como se eles estivessem relacionados com esse órgão ou com qualquer outra parte do corpo. Quando pensamos, imaginamos ou dizemos algo a alguém, não temos a sensação de que o cérebro está em atividade e que determinadas reações químicas no interior dos neurônios estão produzindo pensamentos, sorrisos ou lágrimas. Definitivamente não é assim que percebemos. Temos a clara impressão de que nossa atividade intelectual – ou seja, as correlações que fazemos entre palavras, frases e conceitos mais complexos –, assim como as emoções que acompanham esses pensamentos, são totalmente independentes e desvinculadas do corpo.

Quando conversamos com alguém não nos ocorre que nosso cérebro está produzindo pensamentos e descrições que o cérebro do outro está decodificando e transformando em processos químicos que serão armazenados em sua memória. Pode ser que seja exatamente isso que esteja acontecendo, mas a impressão que temos é a de que somos duplos, constituídos de duas entidades: uma é formada pelo corpo e a outra, imaterial, pela alma. A alma contém pensamentos, sensações e valores, algo que construímos com base no uso autônomo das funções psíquicas. Nossa alma por vezes olha para o nosso corpo e não o reconhece como nosso! É comum que isso aconteça quando envelhecemos, pois pode ser que nos assustemos com nossa imagem refletida inesperadamente no espelho.[2]

É claro que essa separação não é estanque: as dores físicas de que padecemos são registradas em nossa alma e nos "lembram" que a separação não é total. O mesmo se dá quando somos tomados por impulsos corpóreos, principalmente o desejo sexual. Somos conscientes de sensações básicas como fome, sede, frio etc. Reconhecemos a presença das manifestações agressivas que nos pertencem. **Tais registros me levam a usar "alma" como sinônimo**

2 O fenômeno é idêntico ao que acontece na puberdade, período em que as transições corpóreas ocorrem muito rapidamente e as mudanças podem assombrar a alma do jovem.

tanto de "consciência" como de "mente". Acho importante resgatar o termo em respeito ao modo autônomo – desvinculado do corpo – pelo qual vivenciamos nossos mais relevantes pensamentos e reflexões.

Muitas sensações corpóreas chegam à alma como desagradáveis, não sendo, pois, muito bem recebidas. É como se ela tivesse de "suportar" uns tantos desaforos do corpo. É como se a alma, superior, tivesse de conviver com os mesquinhos anseios corpóreos. Ponderações desse tipo são importantes, a meu ver, principalmente porque dão dignidade às concepções dualistas acerca da nossa condição, concepções essas que prevaleceram ao longo de séculos. Não é bom subestimar a inteligência daqueles que nos antecederam nessa trajetória de acúmulo de conhecimento que constitui nossa história intelectual.

Apesar dos incômodos, a alma não é capaz de subjugar totalmente o corpo, o que gera uma inevitável tensão interna, um conflito entre partes. Assim, a alma costuma construir um conjunto de valores que nem sempre levam em conta os anseios e peculiaridades do corpo. Tais valores, muitas vezes chamados de "virtudes", podem implicar sacrifícios dos anseios do corpo (limitações à vida sexual, aos prazeres gastronômicos, ao ócio, entre outros). Não raramente são elaborados com base na ideia de que, por meio de pensamentos e ações intelectuais, seríamos capazes de transcender nossa condição mamífera – e mortal, percebida como algo quase intolerável.

O inverso também costuma acontecer, ou seja, o corpo tem suas "queixas" a respeito da alma. Costuma sentir como exagerados e desnecessários os freios derivados do sistema de valores construído pela alma que o habita. A realização de determinados desejos, como é o caso, por exemplo, da masturbação, da ingestão excessiva de doces ou de drogas que provocam sensação de alegria pode implicar ofensa ao código moral daquela pessoa, gerando um conflito íntimo capaz até mesmo de causar efeitos nocivos à saúde corpórea. Se a pessoa age de acordo com os desejos do corpo a alma reclama, e isso pode provocar vergonha ou culpa. Se o corpo é privado de agir, pode adoecer. O equilíbrio entre essas duas "partes" nem sempre se estabelece com facilidade e sem alguma tensão.

Muitas das normas produzidas pela alma relacionam-se com o anseio de transcendência, de que ela seja capaz de sobreviver à morte física. A alma parece pretender a imortalidade, e essa hipótese foi abraçada por muitas ponderações de caráter religioso. Não tenho a menor intenção de opinar a respeito do tema. Reafirmo meu ponto de vista: independentemente de sua origem e do seu caráter mortal ou imortal, vivenciamos em nossa subjetividade a presença da alma, ou seja, de que o conjunto de pensamentos, sensações e valores que nos caracterizam não parecem vinculados diretamente ao corpo.

Não desconheço o fato de que alterações orgânicas cerebrais de diferentes tipos costumam interferir sobre nosso estado psíquico, especialmente sobre a disposição e o humor, além de poderem provocar distúrbios sensório-perceptivos e de cognição de maior ou menor gravidade. Não estou desprezando nada disso. Apenas registro que, do ponto de vista da psicologia tradicional e de como vivenciamos o cotidiano, a alma nos aparece destacada do corpo. Isso acaba por ter um efeito colateral bastante negativo, pois não é raro que tardemos em reconhecer a influência de nossa condição corpórea – especialmente das variações químicas das sinapses cerebrais – sobre o que estamos sentindo e como estamos nos posicionando diante de determinados acontecimentos.

Não tenho dúvida de que alterações metabólicas cerebrais podem interferir drasticamente sobre a forma como pensamos, sentimos e agimos. Ou seja, a alma está, sim, sujeita às condições do cérebro – assim como às de todo o corpo. Acontece que a recíproca também é verdadeira: muitos dos pensamentos negativos, relacionados, por exemplo, com medo ou maus presságios, determinam imediatamente as reações físicas correspondentes. O corpo reage aos pensamentos da mesma forma que reagiria diante dos fatos que a eles correspondem. As reações corpóreas não distinguem realidade de imaginação!

O corpo interfere na alma, assim como a alma interfere no corpo. Apesar de sofrer sua influência, a alma está longe de ser apenas uma extensão do corpo. O sistema de pensamentos, a capacidade de imaginar e de abstrair-se do simples registro dos fatos reais, a constituição de um código de valores, somados à consciência de que se é capaz de tudo isso – além da consciência da própria finitude – definem uma instância autônoma que transcende o corpo e as reações químicas que se processam no cérebro.

A alma nasce graças à sofisticada capacidade do sistema nervoso central. Ela se desenvolve e se aprimora. Ganha relativa autonomia em relação ao cérebro que a gerou (ao menos nas condições de saúde). **Torna-se uma instância à parte, governada por princípios e modos de avaliação peculiares e irredutíveis. Mais que isso: não creio que estejamos próximos do dia em que teremos alguma ideia a respeito de como o cérebro "produz" pensamentos.**

Creio que nem o mais ousado neurocientista ache, com sinceridade, que o conhecimento de determinadas localizações cerebrais correspondentes a determinados processos da alma signifique que estamos perto de entender algo a respeito do mistério que cerca a atividade cerebral humana. Da mesma forma, não acredito que se possa aplicar à nossa espécie raciocínios derivados da teoria da evolução – que tão bem parecem esclarecer ações de outros animais. Apesar de partilharmos com os macacos superiores a maioria dos genes, parece que as circunstâncias que criamos em decorrência da aquisição da linguagem nos diferenciam amplamente de todos os outros animais.

Penso, pois, que para fins práticos devemos considerar a alma independente do corpo, o que define a

psicologia como uma ciência isolada e desvinculada da neurologia e da neurociência. Qualquer reducionismo me parece ingênuo e empobrecedor. Os avanços advindos dos campos de pesquisa anteriormente citados são muito interessantes e sempre bem-vindos. Porém, gosto muito de fatos e, por vezes, me perturbo quando são construídas teorias precipitadas, fruto da ação de almas intolerantes e incapazes de lidar com as dúvidas e o desconhecido. Por outro lado, desconsiderar os avanços relacionados com o entendimento das funções cerebrais e sua influência sobre a alma seria parte do mesmo procedimento simplificador e corporativista praticado por muitos profissionais de psicologia.

Nossa condição é ainda mais complexa. Como se não bastasse a interação permanente entre o que é biológico e psicológico, teremos ainda de introduzir um terceiro ingrediente que, em determinadas circunstâncias, pode ser muito importante. A aquisição da linguagem determinou um surto extraordinário de avanços de todo tipo. A comunicação entre os membros de uma comunidade se tornou rápida e fluente. **O conhecimento acumulado por uma geração pôde se transferir com certa facilidade para as seguintes, gerando soluções cada vez mais sofisticadas para as necessidades básicas daquele grupo.** Essa é uma das maiores razões, se não a principal, para que tenhamos nos organizado em comunidades, que tendem a ser cada vez maiores e estáveis. A estabilidade dos grupos pode ter aumentado um pouco a vida média das pessoas, o que também cria condições favoráveis para a transferência de conhecimentos dos adultos para as crianças.

Penso que a maior ou menor competência para o uso da linguagem e do conhecimento acumulado pelo grupo deve ter se transformado, rapidamente, em um importante poder. **Se no início do convívio grupal a competência física foi o mais importante componente para o estabelecimento de hierarquias em uma comunidade, agora o saber também passa a ter grande relevância. Não consigo imaginar grupos em que não haja tendência ao surgimento de lideranças, assim como de privilégios e diferenciação de funções.** Quanto mais crescem os grupos, maiores vão se tornando os desníveis entre seus membros.

A aquisição da linguagem, o acúmulo de conhecimento que deriva da transferência do saber de uma geração às seguintes, o crescimento e a hierarquização de funções nos agrupamentos humanos definem uma condição inusitada. **Passamos a ter História, a ter informações acerca de como viveram nossos ancestrais, o que pensaram, que deuses adoraram etc. Somos familiarizados com estas suas convicções; recebemo-nas já prontas e bem elaboradas. Esses pensamentos prontos constituem o que Ortega y Gasset, em seu livro *Ideas y creencias: y otros ensayos de filosofía*[3] chama de "crenças", ou seja, nossas primeiras "con-**

3 Madri: Espasa Calpe, 1976.

vicções" – que não derivam de profundas reflexões, e sim de uma recepção passiva. Quando as crenças não nos satisfazem mais, entramos em uma zona de desconforto, rica em dúvidas. Esse estado se resolve quando somos capazes de formular novos conceitos que nos parecem mais satisfatórios. Estas são as nossas "ideias" próprias que, quando consistentes e convincentes, poderão vir a ser parte do novo saber daquela geração – e eventualmente parte das crenças das gerações seguintes.

Sofremos, pois, a influência daqueles que nos antecederam por meio das crenças que recebemos e incorporamos como nossas. Sofremos também a influência das ideias originais e interessantes dos nossos contemporâneos. Somos, pois, fortemente influenciados pelos pontos de vista do grupo social no qual nascemos, nos criamos e nos vemos. O que se passar com ele terá algum tipo de interferência em nossos pensamentos. O cérebro tem condições de produzir pensamentos. Eles ganham autonomia (quando o sistema nervoso está em condições adequadas de funcionamento), mas estão submetidos ao pensamento das pessoas com as quais convivemos e que, como nós, também foram submetidas à influência das gerações antecedentes. **Tais pessoas e seu modo de pensar constituem nosso meio social, nosso ambiente cultural. Assim, dependemos significativamente das concepções intelectuais e também dos avanços tecnológicos em cujo contexto estamos inseridos. Só mesmo espíritos mui-**

to extravagantes e poderosos conseguem se desvencilhar parcialmente da influência da cultura em sua forma de pensar.

Não me vejo apto a discutir como se definiram algumas das principais peculiaridades da vida em sociedade. Penso, em linhas gerais, que os homens, unidos com o intuito de se proteger melhor das circunstâncias adversas e resolver suas necessidades, estreitaram seus elos graças à constituição de uma linguagem comum. Tornaram-se capazes de constituir organizações sociais cada vez maiores e mais complexas, sujeitas a regulamentações cada vez mais sofisticadas. Estas visavam definir, de modo claro, os papéis e funções de cada um dos seus membros, constituindo, como já disse, hierarquias de poder e privilégios que sempre estiveram a serviço de beneficiar os mais fortes: os dotados de adequada compleição física e também os mais habilidosos no uso da linguagem.

Não é o caso de refletir sobre as formas de uso da inteligência, o espaço que o desenvolvimento da linguagem abriu para a possibilidade de mentirmos (acontecimento que, penso, foi muito relevante para a vida em grupo) e de usarmos argumentos falsos em defesa dos próprios interesses. O fato é que a regulamentação se aprimorou muito no que diz respeito à produção e distribuição dos bens que o grupo foi capaz de gerar. Os poderosos estabeleceram normas de conduta a ser seguidas por todos. Quase sempre eles eram – e são – as únicas exceções, os que achavam que não precisavam respeitar as regras que eles mesmos estabeleceram.

A maioria respeita as normas por medo de represálias. As normas regulamentam desde aspectos relevantes, relacionados com a preservação do grupo, a ações ligadas à vida privada de cada um. As transgressões mais graves podem ser punidas até com a pena de morte, ao passo que as mais irrelevantes determinam a ironia e o escárnio das "outras pessoas", acontecimento muito constrangedor e capaz de provocar a dolorosa sensação de humilhação. **Em uma frase: por medo da rejeição dos "outros" obedecemos a normas desnecessárias, com as quais muitas vezes não concordamos. Elas nos chegam de fora e são importante componente das crenças que nos são "inoculadas" pela educação. Educar implica, pois, transferir, para cada novo membro, os usos, os costumes e as normas acumuladas pelo grupo até aquele momento.**

Espero que esteja ficando claro que sofremos enorme influência, ao longo dos anos da nossa formação, tanto da nossa família como da sociedade em que crescemos. Vivemos e dependemos desse conjunto maior de pessoas com as quais dividimos certo espaço físico e compartilhamos uma língua. Sentimo-nos obrigados a respeitar seus usos e costumes. Nem sempre somos autorizados – e muito menos estimulados – a questionar, nem mesmo no seio da família, a forma como as crenças foram constituídas.

O meio social interfere, pois, até mesmo no modo como pensamos e imaginamos (que, é claro, também sofre influência do estado das reações químicas que se processam no cérebro). Isso é particularmente verdadeiro nas sociedades atuais, profundamente diferenciadas e ricas em estratégias de interferência sobre a subjetividade. **Poucas foram as épocas nas quais o social influiu tanto na alma como nessa era da cultura de massas, expressão que se tornou um dos marcos que definem o século XX. Nos últimos cem anos o cinema, a televisão (entre outros veículos) e principalmente a publicidade têm definido muitos dos nossos pontos de vista, gostos e principalmente aspirações e fantasias. Imaginamos da forma como nos ensinaram a fazê-lo. Sonhamos com o que nos mandaram sonhar.**

A maior parte dos profissionais de psicologia tem demonstrado preocupação com os mecanismos neurológicos e com a influência da química cerebral em nossos atos e pensamentos. Ressalto a importância de nos atermos mais às influências que nos chegam de fora, da sociedade, seus valores e crenças. **Sim, porque sob a aparência de uma liberdade máxima, talvez nunca tenhamos sido tão explicitamente padronizados, domesticados e manipulados.** Penso que isso nos deprime muito, provocando sofrimento na alma, com repercussões no sistema nervoso – que depois tentamos atenuar por meio dos novos fármacos produzidos com esse intuito. A incidência de quadros depressivos só tem crescido – e não poderia ser diferente.

A alma, pobre coitada, ficou espremida entre uma sociedade opressora e um estado químico cerebral

de caráter essencialmente depressivo! Estes somos nós, os humanos, seres biopsicossociais. Nos dias que correm, somos seres essencialmente sociais, vítimas de uma ordem econômica opressiva (criada por alguns de nós) e rica em mandamentos quase impossíveis de ser cumpridos. Somos também seres biológicos, deprimidos, angustiados e insones por força de um massacre social inusitado e insuportável. Quase todos estamos com a alma submersa e muito pouco operante.

Não espanta, pois, que atualmente estejam em voga correntes evolucionistas, que pretendem explicar muitas das nossas condutas e normas sociais em função de aquisições impressas nos genes, derivadas dos milhões de anos da evolução da nossa espécie, que estariam relacionadas com nossa preservação. Seriam "explicações" biológicas para comportamentos estabelecidos em nossa sociedade. Por exemplo, a conduta sexual dos homens conquistadores estaria em concordância com o intuito reprodutivo, tentando fecundar o maior número de mulheres para que a espécie possa ter mais chance de sobreviver.

Não posso deixar de ver tais hipóteses como extremamente simplistas. Somos muito mais sofisticados do que isso, de modo que só podemos cogitar pontos de vista dessa natureza porque estamos vivendo uma época em que nossa subjetividade encontra-se extremamente atrofiada. Em condições normais, perceberíamos que a alma e as reflexões nos influenciam bem mais que os genes!

O mais aflitivo em posicionamentos "científicos" desse tipo é que eles tendem a dar validade "biológica" a muitas das tradicionais normas sociais arbitrárias e discriminatórias. Ao minimizar a importância da alma e seu poder de influência na constituição de estruturas sociais mais razoáveis, estão desprezando uma das possibilidades mais necessárias e urgentes: a de sermos capazes de construir e aplicar um código moral no qual a justiça possa prevalecer. Em outras palavras, negam a possibilidade de construirmos uma sociedade gerenciada pela alma, e não mero fruto da biologia.

Hoje, não costumamos nos referir ao conjunto dos nossos sentimentos, pensamentos e juízos de valor usando a palavra "alma" – a não ser com certo constrangimento. Ela parece mesmo não existir, já que nossa subjetividade está totalmente prejudicada. Penso que é urgente que as pessoas de bem se empenhem para resgatar nosso universo psicológico. Creio que a ênfase exagerada que tem sido atribuída aos nossos aspectos biológicos está, de fato, a serviço da influência máxima do social sobre cada um de nós. Sim, porque distrai nossa atenção quanto a seu impacto e também mitiga, por meio de novos medicamentos, os efeitos nocivos que temos sofrido por força desse desgoverno.

É muito difícil descrever os caminhos que precisamos trilhar com o intuito de resgatar nossa alma. É essencial conseguirmos deparar com nossa indivi-

dualidade (mutilada) por meio de momentos crescentes de solidão, nos quais poderíamos reencontrar nossa singularidade. Temos pavor da solidão, da introversão, do recolhimento. Somos adestrados para o convívio continuado – real ou virtual. Não devemos pensar por conta própria, já que isso pode nos afastar das pessoas; é essencial não desenvolvermos ideias originais, pois elas podem não agradar aos "outros", provocando a quase insuportável condição de rejeição e humilhação.

Não espanta, pois, que o pensamento criativo esteja atrofiado ou seriamente prejudicado mesmo nos setores da sociedade que sempre primaram por resistir às pressões sociais: nem os jovens nem os artistas têm sido capazes de produzir algo novo.

O resgate da alma passa pelo exercício sadio da individualidade. Estou chamando de "sadio" o trabalho intelectual que leva em conta a honestidade e a reflexão moral na direção da justiça. Individualismo não é egoísmo; consiste no exercício respeitoso da reflexão que leva em conta nossos direitos e os dos outros.

Somos bastante parecidos como seres biológicos, embora, mesmo nesse aspecto, tenhamos nossas peculiaridades. Tendemos a ficar muito parecidos uns com os outros em função de resistirmos muito mal ao poderoso massacre social homogeneizador de nossos pensamentos, gostos, ideais e sonhos. A alma, quando ativa, nos faz criaturas únicas. **Temos de trabalhar com determinação na direção de nossa identidade para ser** capazes de nos livrar do que temos sido: apenas seres biossociais.

Quando penso em nossos primórdios, nos seres que somos, dotados de um cérebro extraordinário mas difícil de ser operado, considero estupendos nossos feitos. Quando penso – e cada vez mais penso – que as células do cérebro foram e são capazes de produzir pensamentos, mal posso conter minha emoção e perplexidade. Como pode isso acontecer? Como reações químicas tornam-se pensamentos sofisticados? Como pensamentos se relacionam entre si e determinam novos pensamentos? Como acontece de eu expressar aqui meus pensamentos e você aí acompanhá-los? O mistério é grande demais para que eu me atenha a isso no momento. Penso que falta muito para chegarmos perto das explicações plausíveis – se é que um dia chegaremos.

Os pensamentos, sempre intermediados pela linguagem – nossa aquisição fundamental – e pela nossa capacidade de retê-los na memória, são compartilhados por uma comunidade de pessoas e transmitidos, pela via da educação, aos descendentes. Esse é o embrião da influência do social sobre os pensamentos que cada um de nós vai desenvolver.

A alma está, pois, colocada entre a biologia e as estruturas sociais que construímos e que são indispensáveis à nossa sobrevivência. É à luz dessa concepção tridimensional do homem que eu gostaria que fossem lidos os textos a seguir.

2 dois
Amor e sexo

Grande parte do meu trabalho tem sido dedicada às questões relacionadas com nossa sexualidade e também com sua indispensável separação do amor. **O primeiro pilar da minha argumentação consiste no fato de que o sexo é um fenômeno essencialmente pessoal, ao passo que não posso pensar no amor a não ser como um evento interpessoal. O amor sempre envolve um objeto externo à pessoa, ao passo que o sexo pode perfeitamente ser exercido de modo individual.** As primeiras manifestações da sexualidade infantil têm, sem dúvida, essa natureza, tradicionalmente chamada de autoerótica. A descoberta da existência de regiões do corpo que, ao serem tocadas, determinam sensações peculiares – que mais tarde chamaremos de excitação sexual – é parte do processo de autoinvestigação que se inicia no fim do primeiro ano de vida, época em que a criança começa a se perceber como um indivíduo autônomo, como uma criatura que não é um apêndice da mãe.

Nossas primeiras sensações sexuais são, pois, concomitantes às nossas primeiras percepções como indivíduos, como criaturas isoladas. **Pelo fato de a excitação chamar a atenção para algo que se concentra em nós**

mesmos, forma-se uma importante aliança entre os processos eróticos e aqueles relacionados com as considerações que fazemos acerca de nós mesmos, embriões dos processos de individuação e de construção de nossa individualidade.

O outro ponto de sustentação das minhas reflexões sobre amor e sexo está relacionado com o fato de que a excitação sexual corresponde a um estado de desequilíbrio homeostático, ao contrário do que acontece com o amor. Sentimo-nos em desequilíbrio quando temos fome, sede, frio, quando estamos doentes; são sempre sensações dolorosas. O único desequilíbrio sentido como agradável deriva da excitação sexual. Em virtude disso, diferentemente do que acontece com os fatores que provocam desconforto, o estado de excitação tenderá a ser buscado ativamente. Movimentamo-nos e agimos de forma direcionada com o intuito de nos livrarmos da dor, do sofrimento e das ameaças. A busca da agradável sensação de excitação sexual também nos motivará a agir. Será importante motor de nossos empenhos e sacrifícios.

Em virtude disso, Freud acabou por considerar nossa sexualidade a fonte de energia por excelência, nosso principal estímulo para a vida, para as ações construtivas e positivas, para aquelas que transbordam os empenhos relacionados com a sobrevivência e a fuga dos desconfortos. Com razão, acabou por atribuir ao sexo significado e importância que ultrapassam – e muito – os limites da intimidade física pro-

priamente dita. O instinto sexual passou a ser, para ele, o instinto de vida.

Quase todos os que se opuseram a essa forma de ver nossa condição subjetiva o fizeram por prejulgamento, porque não conseguiam aceitar que a sexualidade fosse tratada como algo tão relevante e essencial. Não se detiveram na avaliação mais acurada e sofisticada dos fatos e também dos argumentos. Esse tipo de precipitação intelectual costuma ser responsável por grande parte das resistências às novas ideias em geral. A psicanálise e seu criador não fugiram à regra, de modo que ao longo das primeiras décadas do século XX a nova ciência foi vista com enorme reserva.

Freud e a maior parte dos seus primeiros seguidores se interessaram pouco por decifrar as questões relacionadas com o amor. Numa sociedade repressiva como a de Viena da sua época, as descobertas acerca da relevância de fenômenos eróticos inconscientes como geradores de distúrbios psíquicos devem ter tomado toda sua atenção. Muitos casamentos já aconteciam graças ao encantamento amoroso espontâneo entre jovens; porém, a influência dos critérios tradicionais sobre sua forma de pensar ainda era grande. Eles ainda acreditavam, como seus pais, que as afinidades religiosas, culturais e financeiras é que deveriam nortear a escolha. Casavam-se com o intuito de construir famílias numerosas, estáveis e definitivas. É compreensível que, nesse contexto, o amor aparecesse como secundário e que o sexo – sua repressão quase radical e os sofrimentos que impunha às pessoas – tivesse sido o objeto central da atenção.

O amor foi entendido como uma versão sublimada do impulso sexual, como algo menos relevante. Esse equívoco traz consigo alguns desdobramentos complicados que determinaram outra série de problemas para a psicanálise, estes talvez mais bem fundamentados. **Assim, foi difícil, para a maior parte das pessoas, aceitar a existência da sexualidade na infância, período da vida até então visto como ingênuo e puro. Até aqui, a dificuldade corria por conta das crenças que ocupavam solidamente a alma dos seus contemporâneos. Porém, a dificuldade de admitir que o menino sente desejo sexual por sua mãe, à qual é, de fato, muito apegado, já esbarra com problemas que derivam da não separação entre sexo e amor. Da mesma forma, é difícil entender o ato, muito prazeroso, de sugar o seio da mãe ao longo dos primeiros meses de vida como um fenômeno sexual. As resistências derivadas de crenças e ideias preconceituosas acabaram se misturando com outras que estão presentes mesmo nas pessoas de boa vontade e de mente mais aberta.**

Não tenho a menor dúvida de que existe uma forte ligação dos meninos com a mãe, fato que provoca o ciúme do pai em relação a ele. O que não me parece provável é que exista desejo sexual envolvido no processo, caracterizado essencialmente pela busca de paz e aconchego.[4] O mesmo vale para a amamentação: os prazeres determinados pela intimidade com a mãe não devem ser confundidos com aqueles de natureza sexual. **Os prazeres do amor são de natureza homeostática, uma vez que aliviam a dor relacionada com a sensação de desamparo e incompletude. A criança está se sentindo ameaçada longe da mãe e se apazigua em seu colo ou com sua presença. Os prazeres de natureza sexual estão, como já descrevi, ligados à excitação, ao desequilíbrio agradável. Amor provoca um prazer negativo (o que deriva do fim de uma dor). O sexo provoca prazer positivo (aquele que prescinde de um desconforto prévio).**

Vejo a sexualidade como um fenômeno pessoal. Isso é particularmente fácil de ser observado durante a infância. Sendo processo autoerótico, não tem muito sentido imaginar que exista um objeto externo do desejo e nem que ele seja a mãe, objeto do amor. Se o fenômeno é pessoal, não pode ser dirigido de forma específica para nenhuma pessoa – nesse caso, seria interpessoal! Nessa forma de pensar, não cabe também dizer que a sexualidade infantil pode ter como objeto criaturas de ambos os gêneros, de modo que seríamos portadores de uma bissexualidade constitucional – outro conceito psicanalítico polêmico, a meu ver com toda a razão. Se o fenômeno é pessoal, não pode haver objeto de desejo nem

4 Evito me referir ao relacionamento da menina com a mãe – e posteriormente com o pai – por se tratar de tema mais complexo e polêmico, não adequado, pois, para o desenvolvimento desta argumentação.

masculino nem feminino. Ao longo dos anos da infância existe excitação sexual e não desejo, palavra que implica um objeto externo (ainda que não forçosamente muito relevante). A possibilidade de um menino trocar carícias eróticas com uma menina ou com outro menino não define dois tipos de desejo ou de disposição. Define, isso sim, a falta de importância do parceiro sexual, que pode muito bem ser um animal ou mesmo o braço de uma poltrona – capaz de provocar, numa menina, tantos estímulos sexuais quanto o que ela sentirá se estiver sentada na perna do pai.

Se é difícil pensarmos no caráter pessoal da sexualidade infantil, que dizer da ideia, cada vez mais evidente para mim, de que a sexualidade é sempre um fenômeno pessoal? Isso parece um absurdo diante dos fatos observáveis: com a puberdade surge, nos moços, um forte desejo visual, que os impulsiona na direção das mulheres; estas, por sua vez, ao menos aparentemente, também passam a se interessar muito por eles. Surgem as preferências masculinas por esta ou aquela parte do corpo feminino capaz de provocar um desejo particularmente intenso. Surgem as exclamações e os suspiros, típicos do que entendemos como manifestações de interesse sexual direcionado a determinadas criaturas. Tais manifestações de natureza sexual costumam se associar a outras mais ligadas a estímulos sentimentais e também a sinais de admiração maior dirigida a essa ou àquela pessoa. Se não nos acautelarmos e não deixarmos de lado a precipitação, acharemos que nossos interesses sexuais tornaram-se direcionados. Pode parecer que, a partir daí, existam objetos sexuais definidos.

A observação mais atenta nos mostra que o desejo sexual (especialmente o masculino) se manifesta em relação a um sem-número de pessoas em um prazo de tempo muito curto. Pode ser que existam objetos instantâneos do desejo, mas estes são indefinidos e múltiplos. É exatamente essa indiscriminação do desejo masculino – e também o prazer que as moças sentem ao se perceberem cobiçadas por inúmeros homens – que me leva a pensar que o outro (ou os outros) não é mais que um estímulo desencadeador de um processo íntimo, puramente pessoal. Esse desencadeador não precisa necessariamente ser de carne e osso, de modo que o simples ato de olhar para a foto de uma mulher totalmente desconhecida – em um contexto provocante ou numa postura insinuante – pode ser suficiente. Não podemos considerar a hipótese de que exista algum tipo de interação entre o rapaz e a foto (ou qualquer outro estímulo erótico, que pode ser apenas uma fantasia ou lembrança de alguma situação vivenciada). Assistir a um filme erótico com atores desconhecidos pode ser o estímulo externo que desencadeia uma série de movimentos interiores de natureza sexual.

As fantasias eróticas estão presentes em praticamente todos nós e seu conteúdo depende, ao menos em parte, de fatores culturais: a chamada indústria pornográfica cria estímulos eróticos e também define o modo como as pessoas devem se vestir para se tornar mais atraentes no momento das relações íntimas; como aparar – ou não – os pelos pubianos (e mesmo de outras partes do corpo); como agir na hora da penetração vaginal, anal ou no sexo oral. Em cada época existem práticas tidas como mais "picantes", sendo que estas determinam estímulos eróticos mais intensos e estimulam fortemente as fantasias de toda uma geração. **Podemos dizer que, nos dias de hoje, quem define o que vem a ser o ideal de uma vida sexual plenamente gratificante é a indústria de produtos eróticos!**

Justamente porque o sexo é fenômeno pessoal, a masturbação torna-se prática constante para quase todos os rapazes, processo que se estende por todas as fases da vida adulta da maioria deles. Está presente em mais da metade das mulheres, sendo fato que é prática quase universal nos primeiros tempos da puberdade. Muitas se desinteressam desse tipo de excitação por força de uma peculiaridade da fisiologia sexual feminina – a ausência de um período refratário depois do orgasmo. Isso significa que depois do clímax feminino costuma permanecer certa excitação residual. O período refratário é muito marcante nos homens, de modo que eles se sentem saciados e necessitam de repouso sexual após a ejaculação. Sendo inexistente nas mulheres, elas podem dar continuidade a intimidades eróticas logo depois de ter alcançado o orgasmo. Isso pode ser uma vantagem na situação concreta, mas, se o objetivo da masturbação é justamente aliviar a excitação sexual, pode ser que ela termine ainda mais excitada. Isso, é claro, desestimula muitas moças. De qualquer forma, a masturbação é prática sexual corriqueira, em que o outro existe apenas na fantasia e como puro estímulo para o desencadeamento de sensações eróticas de caráter obviamente pessoal.

Tenho defendido a ideia de que as "relações sexuais" não são verdadeiras relações e não se distinguem tão radicalmente da masturbação a não ser pelo fato de que nas primeiras a troca de estímulos tácteis é real e não imaginada. Muitas pessoas gostam mais de se masturbar porque na fantasia tudo se passa exatamente de acordo com sua vontade – o que é raro acontecer na troca de carícias. Sabemos também que as relações sexuais acontecem, com frequência, no curso de relacionamentos amorosos. Nesses casos, surgem as manifestações de ternura, que competem com os gestos de caráter sexual, gerando um complexo de atos e palavras que precisam ser "dissecados" com muita cautela. Creio que a grande confusão quanto a uma possível natureza interpessoal da sexualidade adulta deveu-se justamente ao fato de as pessoas confundirem esses dois ingredientes, amor e sexo, como se fossem um só.

A internet tem contribuído para perturbar ainda mais essas questões polêmicas. Pessoas podem se valer apenas de estímulos visuais em suas andanças pelo mundo virtual, sem qualquer tipo de interação erótica ou romântica. Nesse caso, estamos diante da manifestação tradicional da masturbação, em que os estímulos visuais não vêm de fotos, mas sim de trechos de filmes ou de situações eróticas acessíveis por essa via. Também existem contatos eróticos em que os "encontros" acontecem e há troca de palavras e de imagens, por meio das quais são feitos gestos e atos que têm o intuito de excitar o interlocutor – o termo me parece mais adequado do que "parceiro"! Ambos se masturbam e em seguida se desconectam. Trata-se de algo similar aos encontros eróticos que existem com profissionais ou mesmo entre adultos que mal se conhecem. Muitos dilemas éticos têm sido levantados para definir se as interações virtuais podem ou não ser consideradas infidelidade. O tema será tratado detalhadamente no fim deste ensaio. Antecipo que, se levarmos a sério a ideia de que o sexo é fenômeno essencialmente pessoal, só podemos falar em efetiva infidelidade quando surge algum tipo de envolvimento sentimental. Masturbação, contatos virtuais e mesmo os reais que não implicam qualquer tipo de intimidade para além da pele terão de ser reconsiderados do ponto de vista da reflexão moral.[5]

5 A internet também tem nos mostrado que podem existir sérios encantamentos sentimentais entre pessoas que nunca se encontraram pessoalmente. Nesses casos, a interação intelectual e a troca de intimidades é que determinam o envolvimento amoroso. Trata-se de fenômeno diferente do amor em fantasia tão típico dos anos da adolescência, porque é evento totalmente correspondido. A troca de confidências define um enorme prazer nesse tipo de "convívio", e a sensação de aconchego pode muito bem se manifestar. O fenômeno é essencialmente sentimental, podendo ou não conter pitadas eróticas. Se essas pessoas vivenciarem tais romances virtuais – em tudo similares às histórias de paixão que existem na realidade – e tiverem outros compromissos sentimentais reais, penso que podemos considerar isso infidelidade, mesmo que jamais tenham se encontrado. O que define, a meu ver, a aliança sentimental é a lealdade e a cumplicidade, sendo que na maioria dos casos o vínculo principal está direcionado para o parceiro virtual.

Mesmo em um clima romântico, parece indiscutível que o momento do prazer erótico máximo se constitui numa experiência individual e impossível de ser compartilhada. Nem mesmo o ideal, raramente atingido, dos orgasmos simultâneos tira o caráter pessoal e até solitário do evento. A excitação sexual é muito intensa e, como tal, nos deixa inteiramente voltados para dentro de nós. Isso acontece em todas as circunstâncias em que estamos sujeitos a forte estímulo de natureza física, como sentir dor, cócegas ou medo. Ou seja: ficamos totalmente absortos em nossas sensações de modo a não termos disponibilidade de olhar para fora - para o outro - ao longo desses segundos. Em resumo, o momento do orgasmo ou da ejaculação é caracterizado por um estado solitário. O estado é prazeroso, porém individual e não compartilhável.

Penso que essa peculiaridade seja um dos fatores que nos levam a preferir intimidades sexuais no seio das relações que envolvem também os afetos. Sim, porque imediatamente após a descarga sexual, a sensação de solidão, que acompanhava o contexto da excitação, agora se destaca e se manifesta com todo o vigor e de forma bem dolorosa. É o momento em que os amantes se abraçam com paixão, atenuando assim a sensação dolorosa de desamparo e incompletude tão fortes no instante anterior. As pessoas que já tiveram intimidades sexuais sem nenhum tipo de envolvimento a não ser o derivado desse anseio sabem perfeitamente a que estou me referindo: logo após o esvaziamento da excitação surgem sensações desagradáveis, todas elas associadas à ânsia de sair daquela situação o mais rápido possível. A presença física de uma pessoa que não nos diz respeito emocionalmente pode, inclusive, aumentar a sensação de solidão. Queremos voltar o mais depressa possível ao nosso mundo, à nossa casa, rever os amigos e parentes. Procuramos tudo que, enfim, possa atenuar a sensação desagradável que se segue à descarga sexual. **Não espanta, pois, que a internet tenha se tornado o meio de preferência para o sexo sem compromisso – principalmente para os homens, mas também para algumas mulheres. Depois do sexo é só desligar o computador.**

Ou seja, o sexo pode muito bem existir fora do contexto amoroso, tanto para homens como para mulheres. Na prática cotidiana, são os homens que mais o praticam, e isso se deve tanto a facilitadores culturais, hoje em mudança, como a algumas diferenças na fisiologia sexual – maior importância do desejo visual e existência do período refratário, capaz de provocar a agradável sensação de relaxamento que, em parte, contrabalança as dores da solidão.

Insisto em reafirmar que a sensação dolorosa associada ao fim de um ciclo de excitação puramente sexual é fruto do profundo estado de isolamento – ou seja, de solidão – que caracteriza a intensa excitação sexual. Todos sabemos que não somos capazes de pensar em nada quando estamos sob o impacto de uma sensação física muito forte. Essa é uma das razões pelas quais o sexo pode nos fazer tão bem, pois nos ajuda a esquecer todo tipo de preocupação! É também por isso que a maior parte dos casais tem relações antes de dormir: além de provocar o relaxamento físico nos homens, o sexo nos afasta dos problemas que poderiam vir a prejudicar a qualidade do sono.

Em síntese, sustento o ponto de vista de que o sexo corresponde a um processo essencialmente indiscriminado, em que somos estimulados por um enorme número de figuras externas, com as quais não temos nenhum tipo de intimidade, e que determina uma forte excitação, levando-nos a um estado de total internalização. Trata-se, pois, de um fenômeno que, por si, é pessoal. Torna-se aparentemente interpessoal em virtude de requerer a participação de objetos externos para provocar a excitação e desejo – ou para que sejam trocadas carícias. Ganha um importante ingrediente interpessoal quando associado ao amor, condição muito bem-vinda para ambos os sexos, até porque pode atenuar a sensação de solidão que o forte estímulo físico, ainda que prazeroso, determina ao se extinguir.

Continuando nessa rota, entenderemos que o amor não só não é derivado do instinto sexual como existem dificuldades relevantes para compatibilizarmos, em nossa subjetividade, essas duas tendências tão essenciais. **O amor é parte dos processos que nos impulsionam na direção da integração, da atenuação do desamparo que nos acompanha desde o nascimento. O sexo é parte essencial dos nossos processos de individuação,**

tendo surgido junto com eles e mantendo-se como fenômeno essencialmente pessoal ao longo da existência. É evidente que pessoas que se encantam sentimentalmente também poderão ter interessantes trocas de intimidade física, o que é propício para que a solidão derivada do fim da excitação sexual não se manifeste de forma tão dolorosa.

Porém, certos problemas costumam estar presentes nessa associação. Citarei apenas alguns fatos, pois o tema é extenso, complexo e ainda exige muita reflexão. Quando o amor ameaça demais nossa individualidade, como acontece na paixão, não é raro que surjam inibições sexuais fortes, em especial nos homens, que, como regra, rebelam-se mais intensamente contra a fusão romântica. Esse tipo de dificuldade é indício de revolta da individualidade, que está se recusando a seguir a tendência romântica que direciona o processo para a fusão.

Também é fato que a maioria das pessoas sente forte interesse sexual por indivíduos que não dão sinais de grande disponibilidade para o amor. O fascínio que homens e mulheres sentem por figuras catalogadas como "cafajestes", de pouca confiabilidade moral, mostra como nossa sexualidade sente-se mais confortável em contextos pouco propícios para o romance e a intimidade verdadeira, esta sim geradora de medo e dúvidas. Aqui existe também um novo ingrediente importante, relacionado com o desafio: ter a competência necessária para tentar conquistar o amor de uma pessoa incapaz de amar e de se ligar efetivamente a

outra. A vaidade, componente fundamental da nossa sexualidade, está na raiz dessas atitudes – a ela nos dedicaremos no próximo ensaio.

Fomos todos treinados e culturalmente estimulados a pensar no sexo como algo associado ao amor. Porém, não é assim que os processos acontecem em nossa subjetividade, o que pode nos induzir a grandes equívocos. Um bom exemplo é o que ocorre com muitas mulheres que, fascinadas por determinado clima erótico que se cria em relação a um homem sedutor, poderão achar que estão envolvidas emocionalmente em decorrência dos prazeres extraídos da intimidade física. É como se o envolvimento amoroso, precipitado e indevido, desse dignidade a uma manifestação sexual que não deveria existir por si. Muitas mulheres ainda sentem que a prática do sexo desvinculado do amor as torna menos dignas e mais vulgares, de modo que o encantamento sentimental chega para "purificá-las".

Diversos fatos indicam a existência de mais antagonismos entre o sexo e o amor do que grande disposição para o seu verdadeiro acoplamento. Um exemplo seria a tendência à monotonia sexual, tantas vezes apontada como inevitável, nos relacionamentos amorosos de longa duração. Ela estaria associada, ao menos em parte, ao crescimento da intimidade entre marido e mulher. Vão se tornando tão próximos que, via de regra, sentem-se incapacitados para encontrar atrativos sexuais um no outro. Muitos casais se valem de estratégias que têm por finalidade tentar subtrair o amor do contexto de

suas relações por alguns minutos justamente para que o clima erótico possa, de novo, se manifestar.

Pode parecer que o sexo só se manifesta de forma plena em clima de novidade e onde exista o aspecto relacionado com o prazer da sedução e da conquista. Não é esse o meu ponto de vista. Penso que o sexo se prejudica quando nosso parceiro se tornou parte de nós, se fundiu conosco e deixou de ser figura peculiar e individual. Assim, quando um casal vai a um motel e ela usa roupas mais vulgares, o que acontece é que ela provisoriamente deixa de ser a esposa amada para se transformar em uma mulher qualquer, alguém que não faz parte dele. O erotismo renasce imediatamente! O sexo também se beneficia muito quando os casais compreendem que o desejo visual se atenua com a convivência e se dedicam mais à troca de carícias, transformando o contato quase numa brincadeira divertida e não em algo sério e essencial como é o amor.

Apesar de o discurso oficial da cultura falar na associação entre sexo e amor (ou mesmo em ambos os fenômenos como derivados do mesmo instinto de vida), a prática mostra que a associação forte e indiscutível acontece mesmo é entre sexo e agressividade. Essa aliança não é universal, pois em nossa espécie sempre existem muitas exceções às regras. Porém, está longe de poder ser desconsiderada. Os "palavrões" são o indicador mais evidente dessa associação: palavras que descrevem situações eróticas são

utilizadas nas manifestações de máxima agressividade verbal. O uso de tais palavras acontece em inúmeras línguas, de modo que a aliança entre sexo e agressividade não pode deixar de ser levada muito a sério. Apesar de alguns avanços na tentativa de entender os caminhos que determinaram essa combinação[6], ainda não me sinto confortável para fazer considerações mais definitivas. Creio que fatores culturais influem muito nessa questão, principalmente quando associam a virilidade à agressividade: os meninos aprendem que "macho que é macho tem que ser bom de briga, não pode levar desaforo para casa" etc. No passado, as moças mais insatisfeitas com o fato de terem sido relegadas, nos anos da infância, a uma posição secundária também se rebelavam e desenvolviam hostilidades contra os homens. Esses são alguns desdobramentos derivados de crenças equivocadas, relacionadas com os papéis de meninos e meninas, que só passaram a ser contestadas, e de forma nada radical, nas últimas décadas.

De todo modo, sexo e agressividade são fenômenos pessoais, o que pode facilitar sua associação. Essa aliança ajuda ainda a explicar as dificuldades que tantas pessoas sentem na associação entre sexo e amor, já que esta emoção se opõe de modo radical à agressividade. Homens que sentem raiva das mulheres – em geral derivada da inveja de não se sentirem desejados por elas do mesmo modo que as desejam –

6 Para mais detalhes, confira meu livro *A libertação sexual*. 2. ed. São Paulo: MG, 2001.

costumam ser grosseiros e "machistas", ao mesmo tempo que têm uma vida sexual rica e desprovida de dificuldades com elas. Os homens que se dão muito bem com as mulheres e, ao contrário, desenvolveram forte agressividade contra figuras masculinas – em virtude de relacionamentos complicados, ao longo da infância, tanto com parentes como com outros meninos –, têm mais possibilidade de sentir forte desejo por outros homens; isso significa que o desejo sexual caminha na direção da agressividade, e não do amor.

As implicações dessa aliança para a questão sentimental são óbvias e graves: visto desse prisma, é ainda mais difícil que sexo e amor convivam em harmonia. O surpreendente é que existam tantos casais que se dão bem sexualmente apesar de viverem em concórdia. Essa visão do problema explica também porque em diversos relacionamentos afetivos difíceis, nos quais o casal vive às turras, a vida sexual pode ir bem. Muitos casais só conseguem uma vivência sexual rica depois de sérias brigas, que ativam os componentes agressivos que "tão" bem fazem ao desejo – além de provocarem o enfraquecimento dos elos e estimularem os empenhos de reconquista.

O desejo também se beneficia do ciúme, de modo que muitos casais gostam de viver situações de ameaça no intuito de ativar, de modo contínuo, o interesse sexual. Não são raros os homens que sentem prazer em conviver com mulheres muito atraentes e exibicionistas: ficam envaidecidos diante dos outros homens – por terem tido competência para conquistar mulheres tão interessantes – e, ao mesmo tempo, inseguros e duvidosos de sua fidelidade. Parece que a percepção de que os outros homens as cobiçam faz que o desejo por elas se renove. Da mesma forma, um bom número de mulheres se encanta com homens conquistadores e não confiáveis; parecem gostar de viver em disputa permanente com todas as outras mulheres. Exercem de forma plena sua sensualidade, e isso é fonte renovada de satisfação, além de ser o modo pelo qual se reasseguram de que ainda são as favoritas.

Gostaria de complementar as considerações que já fiz a respeito da questão da fidelidade quando ela é considerada apenas do ponto de vista sexual. É mais que evidente que a deslealdade sentimental implica grande dor e pode determinar marcas irrecuperáveis nos que se sentiram rejeitados, agredidos e humilhados. Desta vez, vou me ater ao sexo. Se ele corresponde a um estado de excitação essencialmente individual e solitário, que pode ser desencadeado por um objeto externo qualquer, podemos, com propriedade, falar em fidelidade e infidelidade? Abordei a masturbação e o uso da internet para fins de interação virtual. O que dizer de uma mulher que, durante uma relação sexual com o marido, imagina que está trocando carícias com outra pessoa, ainda que indefinida?

Podemos e devemos refletir sobre essa questão levando em conta apenas os pensamentos para depois analisarmos o que acontece quando, na prática, existe efetiva troca de carícias. É importante ressaltar que esses limites não são tão relevantes do ponto de vista do prazer sexual propriamente dito. **Ou seja, não é fato que a intimidade física real seja sempre mais gratificante do que a experiência, por exemplo, da masturbação. Assim, não cabe a visão hierarquizada do problema, segundo a qual a masturbação será vista como prática inferior, imatura, menos digna do que a relação sexual – o que corresponde a uma crença cultural antiga que precisa ser revista.**

A excitação sexual é provocada por estímulos visuais – em especial nos homens – ou por se sentir objeto do desejo – como costuma acontecer com as mulheres. Estímulos tácteis praticados pela própria pessoa ou por outrem, quando um acaricia o outro, também provocam a excitação sexual. Além disso, a simples imaginação de situações eróticas também desencadeia reações fisiológicas similares àquelas que ocorreriam se elas estivessem, de fato, acontecendo.[7] Algumas fantasias eróticas estão relacionadas com situações agressivas. Outras dizem respeito a práticas sexuais que envolvem um parceiro a mais – ou são fantasias que envolvem um grupo todo de pessoas. A regra geral é que os elementos românticos não têm chance de participar do conteúdo desses devaneios. As situações que envolvem pagamento em dinheiro (aquela

7 Sabemos que nossa alma (ou mente) tem o poder de interferir no corpo com eficiência idêntica àquela que acontece na direção inversa.

mulher se sentindo excitada por levar a vida como prostituta), exibicionismo e sedução erótica vulgar de pessoas desconhecidas são algumas das fantasias femininas mais comuns.

Não tenho notícia de nenhuma pessoa que não tenha tido, ao menos uma vez, dormindo ou acordada, algum tipo de fantasia sexual em desacordo com os princípios de fidelidade estrita propostos por nossa cultura. Numa situação como essa, ou a norma cultural está em desacordo com a realidade ou somos todos "pecadores". Penso que, no passado, as pessoas escondiam de si mesmas as fantasias "proibidas", coisa que não acontece mais. Além disso, a hipocrisia reinava, de modo que os indivíduos tinham essas mesmas fantasias mas não falavam delas com ninguém, dando a impressão de que os princípios rígidos estavam sendo cumpridos. **Felizmente nada disso mais acontece, de modo que podemos afirmar que, ao menos do ponto de vista das fantasias, não existe a fidelidade sexual. Não se trata de discutir se ela deve ou não existir. Não se trata de uma questão moral.** A fidelidade em pensamento não existe, a não ser por algum tempo, durante a fase inicial da paixão, em que outros fatores, relacionados com a incerteza e a instabilidade do vínculo, ocupam todo o espaço psíquico.

Parece-me impossível, também, pensar em fidelidade quando se observam as situações reais nas quais a excitação sexual é desencadeada. Um homem é atraído visualmente por inúmeras mulheres todos os dias, de modo que, ao sentir desejo por elas, estaria sendo infiel à pessoa que ama.[8] Da mesma forma, as mais castas mulheres se envaidecem e se excitam ao provocar o desejo de outros homens além do companheiro, condição que caracterizaria a infidelidade relacionada com o despertar de sua excitação num contexto que não inclui o parceiro. Aliás, quando um casal decide assistir a um filme de natureza erótica, ambos se excitarão em decorrência do que estão vendo – ou imaginando a propósito do que veem. Nesse caso, a troca de carícias acontece no contexto da fidelidade, ao passo que as fantasias se processam em outro completamente diferente. A situação seria idêntica se cada um dos parceiros estivesse se masturbando diante daquele filme, o que inclusive pode acontecer simultaneamente, um na presença do outro.

Pensando de forma isenta e livre dos condicionamentos culturais tão poderosos que cercam o tema, os fatos mostram que o sexo, tal como se manifesta no âmbito das relações afetivas ou fora delas, é um impulso que não respeita fronteiras – e isso acontece porque se trata de um fenômeno estritamente individual.

8 Algumas mulheres sentem-se traídas nestas circunstâncias. Nos dias de hoje, levam uma vida miserável e infernizam a vida do parceiro. Isso porque ficam incomodadas ao perceber que ele está mais atento à TV quando ali aparecem lindas figuras femininas ou quando percebe que eles "devoram" com os olhos uma revista recheada de belas mulheres. Não há como evitar que o homem se sinta atraído por imagens eróticas. Penso que ansiarem por ser a única fonte de excitação aos olhos deles parece indicar uma manifestação extrema de vaidade.

Processos individuais não deveriam estar sujeitos a regulamentações e restrições. As fantasias são muito variadas, e se isso não acontece com todas as pessoas é porque processos repressivos ainda impedem o livre curso dos pensamentos em muitas delas. Não é possível pensar em regulamentação da vida sexual que se processa no imaginário de cada pessoa. Nesse universo, no qual o instinto sexual não tem relação alguma com o amor, não existe fidelidade nem infidelidade, mas uma total liberdade que infelizmente ainda não pode ser usufruída por muitas pessoas em virtude da forma como aprenderam a pensar sobre o assunto. A masturbação, símbolo concreto desse mundo interior que cada um de nós cultiva, não pode estar sujeita a regulamentação moral de qualquer tipo. O mesmo vale, segundo penso, para tudo que está presente em nossa mente. Não há, pois, pecado em pensamento.

Do ponto de vista da prática sexual, é importante ressaltar que ela se distingue das fantasias eróticas essencialmente pelo fato de que a troca de carícias substitui aquelas que fazemos em nós mesmos. Além disso, os estímulos visuais tornam-se relacionados, ainda que momentaneamente, com aquele parceiro definido, que terá um rosto, um cheiro peculiar, além de várias outras características eventualmente capazes de despertar interesses tanto de natureza sexual como de outros tipos. **Não posso e não devo decidir, de modo categórico, se esses comportamentos, que caracterizam a infidelida-**

de sexual propriamente dita, devem ou não ser evitados pelos que se uniram por algum tipo de compromisso. A reflexão moral, conveniente e necessária para definir a vida prática, e não a fantasia das pessoas, deverá sempre ser feita por cada um de nós, individualmente, e também pelos novos pares que se estabelecem. O que não desperta minha simpatia é a simples e impensada repetição dos padrões segundo os quais fomos educados.

A necessidade de repensarmos os padrões nos quais se alicerçaram as convicções das gerações anteriores à revolução de costumes – que se iniciou na década de 1960 – é indispensável principalmente porque, nesse aspecto, nossa vida social tem sofrido rápidas e radicais mudanças. **O que valia para nossos pais talvez não nos sirva mais como referência. Isso nos dois sentidos: nem a proibição da livre expressão das fantasias eróticas em homens e mulheres; nem a obsessão tão típica da cultura machista tradicional pela vida sexual múltipla - quase obrigatória - dos homens.** As conversas dos homens mais jovens indicam uma importante diminuição do interesse por aventuras sexuais múltiplas, compulsivas e compulsórias. Muitos optam pela monogamia, o que no passado era visto com maus olhos por seus colegas – muitos inclusive inventavam aventuras eróticas e amorosas apenas para não se sentirem julgados e inferiores.

Não sabemos ainda como será a vida erótica e sentimental das futuras gerações. Na atualidade, parece

que as pessoas acham interessantes as fantasias múltiplas e livres, muitas vezes estimuladas pelos recursos do universo virtual, acompanhadas de uma prática sexual monogâmica e vinculadas a um elo sentimental claro e consistente.

3 três

Amor e vaidade

Ao voltar a escrever sobre a vaidade deparo, perplexo, com a dimensão do problema que está contido nessa palavra. Surpreendo-me também com a negligência com que os profissionais das ciências humanas em geral tratam o assunto, como se todas as suas nuanças estivessem mais que bem equacionadas. A maioria das pessoas, mesmo as mais cultas e esclarecidas, usa o termo "vaidade" de modo leviano, sem a menor ideia do seu conteúdo. A psicanálise, ao se fixar no termo "narcisismo" – palavra dúbia que, segundo penso, mais confunde que esclarece esse tema tão importante –, pouco contribuiu para a solução dos graves dilemas que esse sentimento nos instiga.

A vaidade é a matriz de vários dos nossos impulsos difíceis de ser avaliados do ponto de vista moral, como é o caso da ambição, do desejo de chamar a atenção das pessoas e se destacar. É ingrediente essencial da ânsia de vingança que sentimos quando somos humilhados, assim como da inveja e mesmo do ciúme. Não é nada fácil nos aproximarmos desse território, especialmente se levarmos em conta que estamos lidando com uma propriedade biológica praticamente impossí-

vel de ser superada. Ou seja, por mais que uma pessoa deseje se livrar da vaidade, jamais atingirá seu objetivo. Tenho dito que a renúncia total à vaidade resultaria na suprema vaidade, naquela que corresponderia ao desejo de transcender os limites da nossa condição e de nos aproximarmos dos deuses.

Venho estudando a vaidade, apesar de todas as dificuldades, desde 1980. Desde o início a descrevi como parte do instinto sexual e, por isso mesmo, inerente à nossa espécie. Corresponde a um prazer erótico difuso que se manifesta quando provocamos a admiração ou o desejo sexual. Trata-se de um estado de excitação sexual desencadeado pelo olhar das pessoas que nos cercam. Porém, não está particularmente relacionado com elas. Trata-se de excitação e não desejo, ou seja, não provoca anseios de aproximação ou de contato físico.

O estado de excitação se manifesta em nós mesmos. Não é bom pensarmos em "amor por nós mesmos", termo usado por força da não dissociação entre sexo e amor. Também não creio que seja adequada a expressão "desejo sexual por nós mesmos", pois corresponderia a uma situação em que somos o agente e o objeto sexual. Eu definiria a vaidade como o estado que corresponde à "excitação em si mesmo", ainda que desencadeado por olhares de terceiros.[9]

9 É fato que toda excitação se manifesta em nós mesmos. Porém, a redundância que preferi manter aqui tem o objetivo de enfatizar bem o caráter pessoal do processo erótico, sempre com o intuito de distingui-lo claramente do fenômeno amoroso.

Acredito que existam manifestações infantis da vaidade, ingrediente da nossa sexualidade que nos acompanhará ao longo de toda a vida. Nos primeiros anos, a vaidade está essencialmente ligada ao prazer de exibir acessórios novos que foram colocados sobre o corpo – relógios, colares etc. Esse prazer exibicionista bastante singelo continua a se manifestar na vida adulta e pode ganhar a forma de adornos corporais diretos (tatuagens, por exemplo) ou do uso de um ou vários objetos que indiquem estilo de vida, condição econômica, entre outras possibilidades. Tais práticas também se manifestavam nos povos primitivos, de modo que o uso de objetos e cores sobre o corpo e rosto é fonte de prazer erótico e também demonstração de poder e importância social.

Não costumamos olhar de forma crítica para tais práticas justamente porque talvez elas provoquem em nós algum tipo de estímulo erótico. Porém, uma análise isenta de emoções tenderia a mostrar um aspecto um tanto ridículo em todo esse conjunto de ações exibicionistas.

A partir da puberdade, junto com a chegada da sexualidade adulta, surgem as manifestações mais intensas desse componente erótico difuso ligado ao prazer de se exibir e chamar a atenção dos outros. É importante registrar a conexão da vaidade com os processos de individuação, pois para que possa se destacar ela deverá, em algum aspecto, ser diferente do grupo no qual se está inserido. Destacar-se corresponde ao movimento inverso daquele que rege o ato de integrar-se. Destacar-se significa tentar ser único e inconfundível, especial e diferenciado. O desejo de destaque passa a competir, pois, com os anseios de natureza amorosa, ligados à integração.

Eis aí um dos mais relevantes e persistentes conflitos que, nós, os humanos, precisamos enfrentar a partir da adolescência e nos perseguirá vida afora. Durante a infância predomina, com ampla vantagem, a vontade de ser como os outros. Nessa fase, ninguém quer ser o mais rico, nem o mais pobre, nem o mais bonito, e muito menos chamar a atenção por ser o melhor estudante. Todos querem, acima de tudo, ser bem aceitos, bem recebidos na escola, no clube, nos ambientes que frequentam.

Não espanta, pois, que existam contradições grosseiras no comportamento juvenil: por um lado, querem se destacar; por outro, não se sentem suficientemente fortes para suportar o isolamento e a solidão que isso provoca. A saída que encontram consiste em ser diferentes de seus pais, ao mesmo tempo que se unem em bandos – ou "tribos" – nos quais todos os "diferentes" são iguais entre si. A vaidade, para sua plena expressão, exige uma competência para processos de individuação que os adolescentes não costumam ter.

A dificuldade de se reconhecer como indivíduos únicos e mais solitários é enorme também nos adultos, ao menos em nossa sociedade. Apenas os que conseguem alcançar esse nível de autonomia podem exercer o prazer exibicionista em sua versão mais sofisticada: a de se destacar como criaturas que vivem fora do padrão usual, transformando sua individualidade em li-

berdade para ser, agir e pensar da maneira que bem lhe aprouver. A maioria busca a diferenciação mais singela, relacionada com a quantidade, ou seja, ser notado pela variedade de adornos e bens materiais que possui. Assim, as pessoas mais ricas costumam exercer sua vaidade tendo mais relógios, mais joias, mais carros. Numa frase, tendo mais do mesmo.

Ainda que evitem ser muito diferentes, aqueles que enriquecem se sentem abandonados pelos parentes e amigos da fase anterior, padecendo da dolorosa sensação de solidão. A sensação é dolorosa principalmente para aqueles que não se prepararam para ficar mais ou menos bem consigo mesmos. Desejavam muito o sucesso, mas não tinham ideia de que alguns de seus desdobramentos não seriam tão simples. Pensavam, ingenuamente, que despertariam admiração positiva – aquela que provoca maior afeição – em todos os que acompanharam sua trajetória. A realidade dos fatos mostra que boa parte das reações dos antigos companheiros é de admiração direcionada para o lado negativo – o da hostilidade que deriva da inveja.

Fica evidente também que aqueles que conseguem se destacar por se comportarem fora do padrão social vigente são tratados como "marginais", aqueles que ficam mesmo à margem do processo que leva de roldão a grande maioria das pessoas. Existem os que, de modo explícito, saem do padrão ético vigente e se transformam em bandidos e delinquentes. Também há os que buscam num estilo de vida próprio a inspiração para suas obras de arte e suas reflexões sobre a condição humana. Procuram a originalidade no modo de viver com o intuito de conseguir o mesmo em sua subjetividade. Isso faz sentido, pois quem vive como todo mundo acaba pensando como eles. Não devemos, em hipótese alguma, subestimar a pressão avassaladora do social sobre a maneira como a mente trabalha.

Páginas atrás, referi-me ao sexo como fenômeno pessoal, inclusive ao longo da vida adulta. Afirmei que temos a impressão de que se trata de algo interpessoal, em parte porque o desejo – em especial o masculino, estimulado visualmente – parece nos impulsionar na direção do outro e em parte porque as intimidades físicas frequentemente acontecem no seio de relacionamentos afetivos, esses sim interpessoais. Do ponto de vista exclusivo do desejo sexual, penso que o outro apenas desencadeia um processo pessoal, de modo que não creio que seja oportuno dar a esse "outro" um peso maior do que o de um mero ativador do processo. A excitação sexual difusa correspondente à vaidade está relacionada com o ato de se exibir e atrair olhares. Analisada dessa forma, poderia ser vista como um processo sexual de natureza interpessoal. Porém, comparo a vaidade com o desejo: os observadores são necessários, pois uma pessoa não pode se exibir para uma "plateia" vazia; mas observo a mesma indiscriminação presente no desejo, uma vez que o objetivo é chamar a atenção do maior número possível de pessoas. A excitação sexual provocada pelo exibicionismo é, pois, intrínseca à pessoa: é algo que acontece *em* si mesmo.

Não resta a menor dúvida, porém, de que temos interesse muito maior em chamar a atenção de determinadas pessoas. Ficamos mais envaidecidos quando nossa inteligência é admirada por alguém cujo saber respeitamos. O mesmo acontece quando nos percebemos atraentes para pessoas socialmente valorizadas e tidas como importantes. Nesses casos, já estamos diante da interferência do processo racional, psicológico, porém influenciado pelos valores da cultura em que vivemos, sobre nossa propriedade biológica. Não creio que isso transforme a vaidade em prazer interpessoal – no sentido que dou ao fenômeno amoroso.

Tenho insistido e reafirmo aqui que é muito difícil observarmos mecanismos biológicos que não tenham sofrido a influência da razão, que, como regra, sofre dramática interferência do ambiente sociocultural no qual nos inserimos. A busca de destaque e de importância, numa sociedade hierarquizada, levará muito em conta quais são os olhos que estão nos olhando, qual a posição de determinado observador naquele grupo humano. Nossa relevância será maior se formos capazes de chamar a atenção das pessoas "importantes". Por força da interferência da razão e da forma como se organizam sociedades como a nossa, o fenômeno erótico "simples" da vaidade é estimulado pelo fato de as pessoas buscarem a notoriedade de acordo com os critérios tidos como relevantes no grupo. **O prazer exibicionista ganha caráter aristocrático, ou seja, o gosto pelo destaque por**

propriedades raras, aquelas não acessíveis à maioria dos observadores.

É importante pensarmos mais sobre esse aspecto da questão, pois não considero que a rota que temos percorrido seja inexorável, que não possam existir outros caminhos eventualmente mais interessantes. **Poderia haver uma sociedade que valorizasse, por exemplo, o desprendimento material como forma de se destacar; nesse contexto, o prazer exibicionista seria muito mais democrático, acessível a todos que assim o desejassem.** Conceitos desse tipo já foram defendidos por pensadores do passado e, se tivessem se tornado majoritários, nossa história cultural teria sido completamente diferente.

Podemos dizer, sem grande risco de errar, que os traços que definem a vida adulta como algo sério derivam essencialmente da entrada em cena da vaidade. Vencer significa destacar-se, o que determina uma sensação íntima muito prazerosa, ao passo que as derrotas provocam uma dor que, se não é nova, se manifesta de forma muito mais forte: a humilhação. Ao longo da infância, passamos por situações que provocam em nós "vergonha" e geram o rubor característico que nos vexa ainda mais. Isso acontece quando somos objeto de chacota por parte de professores ou mesmo nas disputas entre as crianças. São lembranças desagradáveis, uma vez que fomos o centro de atenções negativas. Agora, depois do surgimento da sexualidade adulta, a dor que deriva de situações semelhantes é bem mais intensa e dramática.

Corresponde à humilhação. Sentimo-nos inferiores, perdedores, sujeitos ao desprezo e ao descaso das pessoas que nos cercam. As dores derivadas da humilhação, assim como aquelas relacionadas com as perdas afetivas, correspondem a algumas das maiores dentre as que podem atingir nossa alma. Que dizer então das situações em que ambas acontecem simultaneamente?

Qualquer fracasso nos leva a vivenciar a dolorosa condição de estarmos atraindo atenções com sentido negativo, de estarmos sendo avaliados como inferiores. Se não nos acautelarmos poderemos nos deprimir "apenas" porque perdemos uma partida em um simples jogo de cartas ou de tênis – praticado com o intuito de nos exercitar ou nos entreter. Vencer passa a ser vivenciado como fundamental, pois é o que alimenta a vaidade. Perder torna-se horrível, insuportável, uma vez que provoca a humilhação. Tudo se torna desafio. **A grande meta da vida passa a ser atingir o sucesso nas tarefas que nos propomos executar. Perdemos cada vez mais a capacidade de extrair prazer das coisas por si mesmas. Tudo precisa estar a serviço de algum objetivo, deve ter alguma finalidade relacionada com a conquista de uma meta que nos fará portadores de uma cota maior de honrarias. Se não tomarmos cuidado, tudo que viermos a fazer passará a ter como objetivo principal chamar a atenção das pessoas, atrair seus olhares de admiração e desejo.**

Moças muito bonitas e atraentes correm um risco enorme de se tornar, desde muito cedo, totalmente dependentes desses sinais externos de admiração e interesse. Essa constatação é muito relevante e perigosa, porque elas chamam a atenção pelo simples fato de serem bonitas, isto é, sem ter de alcançar nenhum resultado especial em qualquer tipo de atividade. Elas são, no dizer de um autor americano contemporâneo, "celebridades genéticas".[10] Sim, porque não fizeram nada de especial e chamam a atenção de uma forma extraordinária! É mais que evidente que elas tratarão de aprimorar cada vez mais a aparência física, fazendo disso sua atividade principal.

Os riscos e prejuízos desse tipo de privilégio inicial são óbvios e bastante graves. A vida corresponde a um projeto para cerca de oitenta anos, de modo que a plena exuberância da beleza poderá durar pouco mais da metade desse tempo. Ao gastarem boa parte do dia diante do espelho, perdem força e energia que poderiam dedicar a outros tipos de evolução tão necessárias para a terceira fase da vida. Porém, como convencer uma moça muito bonita de que tal empenho extra, voltado para algo tão distante, lhe será conveniente?

Por falar em espelho, penso que é relevante ressaltar o seguinte: ficar longo tempo a se observar, tentando adivinhar a reação que as pessoas terão diante do novo modelo de roupa que adquirimos, da forma como arrumamos o cabelo, dos óculos que acabamos de adquirir, do brinco que penduramos na orelha ou no umbigo etc.

10 Pleck, Joseph H. *The myth of masculinity*. Cambridge: MIT Press, 1983.

pode muito bem ser entendido como um equivalente do fenômeno masturbatório. Envaidecemo-nos e excitamo--nos apenas com a fantasia relacionada com o sucesso que faremos. Em vez de usarmos a fotografia de uma figura sexualmente atraente como estímulo desencadeante da excitação, usamos nossa imagem refletida no espelho. Acho que vai ficando cada vez mais claro meu ponto de vista de que todos os processos eróticos são de natureza estritamente pessoal.

Sendo a vaidade o que é, torna-se evidente que ela participa de modo intenso dos eventos relacionados com o jogo erótico da conquista. Ter sucesso com o sexo oposto – quando é esse o caso – é uma das condições mais valorizadas, especialmente durante os primeiros anos da vida adulta. Rapazes e moças se empenham muito em aprender os caminhos da competência nesse setor. Aqueles que se dão bem são festejados e admirados. Sentem-se gratificados e, mesmo os rapazes, correm o risco de negligenciar outros tipos de evolução capazes de garantir prazeres e gratificações em fases posteriores.

Aqueles que se dão mal sentem-se profundamente humilhados, tornando-se adolescentes tímidos, retraídos e, não raramente, rancorosos e maldosos em suas observações acerca dos que têm sucesso nesse setor – que, na mocidade, é fundamental. Não devemos desconsiderar que o sucesso no jogo de conquistas eróticas é buscado, por um bom número de pessoas, ao longo de toda a vida. Grande parte do esforço que elas

fazem para conquistar fama e fortuna tem como um dos principais objetivos facilitar o acesso às pessoas que lhes sejam sexualmente interessantes. A vaidade corresponde ao desejo de se destacar, sendo que o destaque abre as portas para outras possibilidades sexuais que possam vir a ser de interesse.

Convém registrar, ainda que de passagem, que trajetórias desse tipo costumam estar bastante distantes de qualquer tipo de reflexão moral. Ou seja, o destaque é buscado segundo os "valores" que estão em vigor naquele contexto social, quaisquer que sejam eles. O intuito é apenas despertar o interesse erótico das pessoas desejáveis. Assim, se a conduta mais atraente e mais bem-sucedida for aquela típica dos "cafajestes" (sedutores mentirosos, que prometem tudo que sabem que não vão cumprir), ela será praticada. No caso dos homens, os mais sinceros e sentimentais poderão se sentir inferiorizados e com inveja dos cafajestes mesmo sendo portadores das virtudes de caráter consistentes. O que vale mesmo é o sucesso com as mulheres!

O exemplo citado demonstra, de forma bastante clara, como são dúbios e contraditórios os "valores" em uma sociedade como a nossa. Afinal de contas, o que vale mais: ser honesto e coerente ou um mentiroso que promete aquilo que o interlocutor quer ouvir? Como agir de forma digna se isso não conduz ao que tanto se deseja, ou seja, ter acesso aos parceiros sexuais – e depois sentimentais – que tanto ansiamos? Como ser decente, que é a proposição oficial da cultura, se os que não o são é que se dão bem?

Torna-se compreensível por que tantas pessoas tendem a se distanciar de suas convicções: elas não provocam o impacto pretendido pela vaidade naqueles que as cercam. Se não nos acautelarmos, nos afastamos de nós mesmos e buscamos ser e agir como aqueles que, naquele ambiente social, fazem sucesso – especialmente sucesso sexual. A influência do elemento social na nossa subjetividade se torna muito evidente. Assim, abandonamos a legítima preocupação com a tentativa de nos mostrarmos por fora como somos por dentro – que seria talvez a forma mais consistente e útil de exibicionismo – para nos adequar ao comportamento que nos tornará mais admirados pelos "outros". Porém, seremos admirados por aquilo que não somos. Será isso eficiente?

É por meio da vaidade que nossa sexualidade penetra no âmago de todos os nossos anseios e passa a fazer parte de tudo que pensamos e fazemos. Alguma razão têm, pois, aqueles que, como Freud, acreditam que todas as nossas ações são definidas por ingredientes eróticos. Podem não ser os únicos, mas é indiscutível que se trata de importantes componentes de tudo que fazemos. A vaidade é parte significativa em nossas relações com o trabalho, da busca de reconhecimento intelectual, social ou material, isso sem falar das preocupações com a aparência física e com os objetos que nos servem de adorno. Está presente em nossos sonhos futuros de glória, sonhos que, por décadas, nos ajudam a adormecer.

A vaidade também pode nos induzir a grandes erros, uma vez que, em nome da possibilidade de conseguirmos certa cota de destaque e sucesso, não raro nos afastamos de nossa rota e dos nossos planos mais caros e relevantes (que, como regra, nos acompanham desde os primeiros anos da vida adulta). Afasta-nos dos projetos que construímos individualmente, subproduto precioso do que somos e pensamos. Aproxima-nos daquela forma de ser que a cultura nos sugere ser o caminho do sucesso no jogo erótico, do reconhecimento e da notoriedade.

A vaidade está presente em tudo e nos "vicia", uma vez que a simples subtração dos sinais de prestígio e admiração com os quais nos acostumamos já pode nos provocar a dolorosa sensação de humilhação – que, não raramente, se acompanha de forte estado depressivo.

A vaidade, que em tudo se intromete, não poderia deixar de ter importante participação no modo como vivenciamos as relações amorosas. Ela ganha um caráter interpessoal que, como nas outras situações sexuais, não acontece por força de suas propriedades intrínsecas, mas em decorrência da associação com essa emoção. Ou seja, torna-se absolutamente indispensável que sejamos olhados com admiração pela pessoa amada. Precisamos olhar em seus olhos e perceber aqueles sinais de quanto somos únicos, especiais, necessários para que ela continue a ser feliz – e mesmo a existir! Por certo tempo, logo no início do encantamento amoroso, ser assim admirado por aquela pessoa conta mais do que todo o sucesso do mundo. Não é raro que percamos o interesse nos outros sinais de destaque, do mesmo modo que não temos interesse sexual por mais ninguém. Ficamos totalmente obcecados por ela e só dela queremos receber os sinais que nos são essenciais. Assim, os indícios de que somos pessoas extraordinárias deverão partir de um único ser, o amado. Nele se concentram todas as nossas aspirações, inclusive o alimento para nossa vaidade que esperamos e desejamos receber.

Considero que devemos à importante intromissão da vaidade no fenômeno da paixão a sensação de estarmos vivendo um estado extraordinário e de que nunca ninguém viveu semelhante emoção, o que está longe de ser verdade. A vaidade nos fascina e nos hipnotiza com esse tipo de pensamento, que nos transforma em criaturas muito especiais, diferentes de todas as que habitam o planeta.

Uma das razões pelas quais tendemos a evitar situações nas quais poderíamos nos sentir únicos e excepcionais deriva do fato de que elas determinam forte sensação de solidão e isolamento. Isso não acontece durante a vivência romântica, uma vez que a presença do amado provoca sensação inversa, qual seja, a de estarmos finalmente completos e em harmonia. Dessa forma, a vaidade no contexto inicial da paixão é muito bem-vinda, pois podemos exercê-la de modo extremo sem que tenhamos de pagar o preço do isolamento. Sentimos enorme orgulho e nos envaidecemos por termos sido capazes de nos encontrar e termos tido a coragem de transformar o encontro em uma união com certa estabilidade.

A vaidade tem, no encontro amoroso, um espaço de expressão privilegiado. O encontro das "duas metades" é saudado como enorme prazer e também como fonte de orgulho. Assim, o par romântico adora se exibir socialmente como um sucesso – o que explica a dor daqueles que têm de viver o amor de forma clandestina. Além disso, aqueles que se amam fazem, ininterruptamente, para o outro, todo tipo de elogio necessário para a plena gratificação dessa emoção. A vaidade pode estar também a serviço da emancipação social, criando condições subjetivas para que o par que se ama pense seriamente em abandonar o modo de vida que tem levado. Costumam sonhar com uma vida mais simples e voltada para práticas idealistas, como sair pelo mundo em peregrinação, morar no campo etc. Geralmente, porém, são de novo tragados pelo cotidiano e se adaptam ao estilo de vida da maioria. Até mesmo num momento assim intenso a cultura acaba prevalecendo sobre as reflexões psicológicas próprias de cada casal que se sentiu inicialmente fortalecido pelo encontro do parceiro romântico tão ansiado.

As recompensas relacionadas com a gratificação da vaidade são tão relevantes que nos tornamos dependentes delas, "viciados" nas situações em que nos sentimos importantes e especiais. Nada nos provoca mais esse tipo de sensação do que o encontro amoroso, condição na qual a vaidade se expressa de forma um tanto grosseira e quase caricatural: a troca incessante de elogios beira o ridículo, ao menos para um observador mais atento e crítico. Assim, se já existem fortes razões para que as pessoas que se amam vivam inseguras e com medo de perder o parceiro, dependentes que são de sua presença para se sentir seguras e menos desamparadas, a introdução da vaidade determina um acréscimo de dependência e, em consequência, o aumento do já enorme medo de perder o amado. Além de nos provocar a sensação de aconchego, dependemos dele para termos valor. Seu julgamento é o mais relevante de todos. Temos de ser admirados por ele o tempo todo. Olhamos para ele a cada instante para saber se ainda continuamos igualmente valorizados, se ainda somos amados e se a admiração por nós continua presente e intensa como era.

O amor sempre nos transmite a sensação de que, por nos sentirmos completos com a presença do parceiro, não precisamos de mais nada nem de mais ninguém. Quando esse parceiro se transforma em fonte primordial – senão única – de satisfação da vaidade, temos certeza de que estamos plenos e no caminho certo. O grave engano relacionado com essas conclusões poderá levar o casal apaixonado a soluções radicais, como abandonar o que faziam antes para viver toda a intensidade do sentimento. Apostar tudo que se construiu até então no relacionamento, ainda que maravilhoso, com uma única pessoa não pode deixar de ser um projeto de resultados desastrosos.

É impossível imaginar uma situação de dependência maior ou tédio maior do que duas pessoas, em um sítio – ou numa praia deserta – trocando juras de amor e elogios durante todas as horas que passam acordadas. Não pode durar. E não dura. A realização do sonho romântico, entendido como o desejo de voltar a viver algo similar à situação uterina, não pode se concretizar. A aquisição da linguagem e a consequente utilização de nossas potencialidades mentais nos leva a viver de forma dinâmica, rica em aventuras – e também desventuras. A partir daí, não poderíamos mesmo suportar o retorno a uma situação de plena calmaria, em que nada de diferente acontece, onde não existem novas emoções. A "expulsão do paraíso" uterino é, pois, um processo irreversível.

Acredito que, por um tempo, podemos ter a sensação de que o outro é, de fato, "tudo" para nós, como, um dia, foi o caso em relação à nossa mãe. Nesse "tudo" está incluída, na vida adulta, a satisfação plena de nossa vaidade – somos maravilhosos porque somos admirados por aquela criatura tida como especial. O fato de estarmos tão intensamente vinculados a outro ser humano nos leva a ter, em relação a ele, pensamentos e comportamentos quase obsessivos, de modo que sentimos dificuldade de nos concentrar em qualquer tema que não seja o relacionamento amoroso. O que nos deixa assim é o pavor de perder o amado, de quem dependemos totalmente.

É pouco provável que existam pessoas tão bem estruturadas a ponto de, mesmo nos casos em que venham a depender integralmente de outras, não tentem

controlá-las. As ações para dominar o ser amado não derivam, pois, de um desejo ou gosto especial. Não acredito que exista tal prazer nem mesmo nas pessoas mais imaturas e malévolas, até porque a dominação implica esforço, trabalho. Tendemos a dominar para nos livrarmos do pavor que sentimos de perder aquele que se tornou vital para nós. No limite da dependência e do medo podem surgir fantasias relacionadas com o anseio de "engolir" o amado. Fosse isso possível, todos os problemas a que estamos nos referindo estariam automaticamente resolvidos!

Por meio da gratificação intensa da vaidade, o amor pode prestar mais um serviço essencial à nossa subjetividade atormentada. Além de atenuar a dolorosa sensação de desamparo que nos acompanha desde o primeiro instante de vida, pode aliviar muito a sensação de insignificância cósmica que nos alcança quando, mais velhos, nos reconhecemos como uma parcela quase nula do universo. Acredito que um dos elementos que tanto nos prendem à vaidade é o fato de ela, por nos fazer sentir importantes perante os que nos cercam – e para o ser amado de forma muito especial –, alivia esse desconforto relacionado com a nossa irrelevância. **Nossa importância absoluta é praticamente inexistente. Porém, a relativa, aquela que nos posiciona em relação aos nossos pares, pode ser de bom tamanho – e isso nos faz muito bem. Em relação ao ser amado, somos únicos, especiais e absolutamente indispensáveis, o que nos faz sentir ainda melhor.**

É chegado o momento de tratarmos dos desdobramentos negativos derivados dessa total concentração de importância em uma única pessoa. É praticamente impossível que um relacionamento desse tipo não contenha um ciúme quase insuportável. Ele deriva exatamente do pavor que temos de perder a pessoa reconhecida como indispensável. Deriva da sensação de incompletude que nos é peculiar e se atenua com a presença do ser amado. O ciúme também depende do pavor de vivenciarmos a sensação de humilhação que acontece caso nos percebamos perdendo importância e valor para alguém a quem, um dia, fomos a encarnação de todo o bem e de tudo que valia a pena. A humilhação será maior ainda se a diminuição da nossa importância vier associada ao aumento do interesse por outrem. Vivenciaríamos a dor da perda da pessoa amada – abandono – associada à humilhação máxima de termos sido trocados por outra. A isso chamamos rejeição. O pavor da rejeição costuma ser tão intenso que até mesmo as pessoas esclarecidas e de boa vontade tendem a agir de modo possessivo e ciumento quando amam.

Aqueles que se sentem melhor ao ser amados mais do que amam, e que são os mais egoístas, também são muito ciumentos. Isso nos ensina que esse sentimento não deve ser associado tão direta e exclusivamente ao amor. Os egoístas se preocupam com a perda das vantagens que porventura estejam usufruindo no contexto do relacionamento, assim como são extraordinariamente preocupados com sua imagem, com a impressão que causam nas outras pessoas. Detestam, da mesma forma que os mais generosos, passar por situações de humilhação. Detestam ainda mais ser publicamente humilhados, já que a dor e a ofensa à vaidade são muito maiores, além de macular a falsa impressão de força e poder que tanto gostam de transmitir. Tudo contribui para que sejam bastante possessivos, nem sempre agindo de forma escrupulosa para dominar seus parceiros.

Os mais generosos também são ciumentos, mas costumam ser mais discretos e disfarçar seus sentimentos. Insisto em afirmar que a tendência à dominação é recíproca e que o ciúme não está unicamente vinculado ao desejo de exclusividade que permanece em nossos vínculos adultos – e que tanto se assemelham ao que observamos entre o bebê e sua mãe. Está associado ao medo da perda de alguém essencial e também à humilhação – ofensa à vaidade – relacionada com ela.

Alguns autores introduzem mais um fator relacionado com o ciúme: a inveja, sentimento que nos faz sentir inferiorizados e com raiva daqueles que têm as qualidades que gostaríamos de ter. Um exemplo esclarecedor seria a implicância de tantos homens com as roupas insinuantes que suas mulheres atraentes gostam de usar. No fundo, estariam morrendo de inveja dos olhares de desejo que elas despertam. É fato que, na maior parte dos homens, existe frustração derivada de não provocarem o desejo visual feminino da mesma forma como são provocados por elas. Não é impossível que boa parte da

irritação que sentem esteja ligada à inveja desencadeada pelos eventuais prazeres que elas estariam extraindo do poder sensual que exercem sobre os homens, prazer esse que eles também adorariam vivenciar. Proíbem o exibicionismo de suas mulheres porque não podem fazer o mesmo! Num outro exemplo, pessoas mais tímidas tenderiam a reprimir seus parceiros mais extrovertidos por razões similares, por se sentirem inferiorizados em decorrência de não terem igual competência para o sucesso nas relações sociais. Explicação parecida pode ser dada quando alguém menos preparado intelectualmente sente-se mal sempre que seu par "brilha" por força de seu saber.

Acredito que, em muitos casos, a inveja é parte integrante do processo que determina o ciúme. Porém, não creio que esteja sempre presente. Quando um pai sente enorme ciúme pelo fato de a esposa estar se dedicando ao filho, não creio que esteja querendo tomar o lugar dela. Quer, isso sim, que a esposa lhe dê mais atenção, que seja menos empenhada como mãe e mais devotada a ele. O ciúme que o pai tem do filho é uma disputa com o filho pelos carinhos da mulher, o que está ligado ao desejo de exclusividade amorosa – presente em todos nós desde o início da vida e difícil de ser explicado a não ser pela necessidade de proteção diante do desamparo máximo que vivenciamos nos primeiros tempos. Tem que ver também com a vaidade, ou seja, com a vontade de ser o centro de atenções, a pessoa mais importante, aquela que vem em primeiro lugar.

O ciúme também pode estar relacionado com o medo de perder a pessoa amada. Isso acontece quando ela demonstra interesse por alguém que representa efetiva ameaça – o que não acontece quando o objeto do ciúme é o filho ou outro parente de sangue. Por exemplo, se a mulher estiver conversando de modo entusiasmado com outro homem, seu parceiro pode sentir-se efetivamente ameaçado e achar que existe um perigo iminente de ela se encantar por ele. Se o homem for alto e forte e o marido, baixo e franzino, pode ser que o medo da perda se agrave com a presença da inveja; nesse caso, é claro que o objeto da inveja é o rival e não a esposa.

Todos esses sentimentos e emoções se entrelaçam de tal forma que torna-se difícil identificá-los. Não é impossível que tenham, ao menos em parte, uma origem comum relacionada com a vaidade. A inveja deriva da admiração – processo racional ligado à constatação da presença de propriedades muito valorizadas em dada pessoa e altamente dependente dos critérios de valor de cada grupo social. Ao se comparar com ela, a pessoa pode se sentir por baixo e, por isso mesmo, humilhada. A humilhação é vivenciada como agressão, o que desencadeia a reação típica do invejoso: ele desenvolve um desejo de vingança contra aquele que nada fez a não ser ter méritos percebidos como incômodos. A agressividade derivada da inveja se expressa, como regra, de modo sutil, com o intuito de camuflar a verdadeira emoção – que por si só já denuncia a sensação de inferioridade de quem a possui.

Para que o ciúme e a inveja sejam vivências menos dramáticas e destrutivas, é importante que cada pessoa cuide muito bem de sua evolução emocional, assim como da construção de uma individualidade bem estruturada. É claro que a confiança – que também depende do desenvolvimento pessoal – de cada um dos membros envolvidos no relacionamento sentimental também é fundamental. A pessoa é confiável quando tem comportamentos regidos por princípios razoavelmente estáveis e duradouros. As mudanças de ponto de vista podem acontecer, mas não de uma hora para a outra e de acordo com conveniências de momento. Para que a confiança – condição que atenua muito o ciúme – reine, as mentiras não podem estar presentes nas conversas e não há lugar para deslealdades de qualquer espécie.

Para que uma pessoa deixe de invejar outra é essencial que ela evolua e venha a sentir orgulho de si mesma e do modo como conduz sua vida. Nesse contexto, poderá conviver melhor com as diferenças sem hierarquizar, sem catalogar tudo e todos em inferiores ou superiores, melhores ou piores do que ela. Será capaz de conviver com pessoas que tenham muitas das coisas que ambiciona ter por considerar possível que, um dia, também conseguirá realizar seus desejos. Pessoas frustradas e insatisfeitas consigo mesmas e com sua vida, por melhores que sejam, não poderão deixar de invejar aquelas que têm o que lhes falta. Talvez elas consigam não ter as tradicionais reações agressivas graças a uma formação moral mais rigorosa e sofisticada.

Nesse caso, tenderão a se afastar daqueles que provocam o incômodo, evitando assim as desagradáveis sensações negativas relacionadas com a inveja. Estarão, porém, se privando do convívio justamente daquelas pessoas que consideram mais cheias de graça!

Condição semelhante se dá quanto ao ciúme, que só se atenuará se o outro for confiável, se ele não nos for tão essencial e se nossa vaidade não estiver concentrada unicamente nele. Ao sermos capazes de nos reconhecer como unidades e não como metades, como acontece nas relações afetivas mais parecidas com a amizade – que tenho chamado de "mais que amor" ou "+amor" –, a vaidade dependerá menos dos parceiros, de seus feitos e das avaliações que fazem de nós. Orgulhamo-nos mais de nós mesmos e muito mais de nossa evolução interior do que de nossas conquistas externas. Sentimo-nos menos dependentes porque sabemos que poderemos sobreviver mesmo que estivermos sozinhos.

A vaidade continuará a existir, uma vez que ela é parte de nossa natureza e, quando bem dirigida, é importante fonte de prazer. Ela nos fará orgulhosos de nossas conquistas, o que corresponde a uma manifestação típica dos prazeres democráticos, aqueles que, presentes em nós, não aumentam nem diminuem as chances de acontecer em todas as outras pessoas. Os prazeres aristocráticos são excludentes e derivam de propriedades extraordinárias – beleza, riqueza, inteligência e dons excepcionais. Não estão disponíveis a todos. Dotes incomuns privilegiam uns poucos e fazem a tristeza da maioria. Orgulho das próprias conquistas, boa autoestima, disciplina pessoal, felicidade sentimental, rigor moral e inúmeras outras conquistas íntimas estão à disposição de todos os que queiram trilhar o caminho da evolução interior.

Não devemos fazer projetos inatingíveis sob pena de nos frustrarmos e nos entristecermos. Assim, jamais deveríamos pretender nos desfazer da vaidade, pois isso não vai acontecer. Pessoas menos evoluídas emocionalmente costumam se deixar controlar pela vaidade em todos os setores da vida, inclusive nas escolhas sentimentais. O fascínio por beleza, riqueza ou posição social poderá ser mais relevante do que a análise da personalidade e do caráter do futuro parceiro. Os perigos e dolorosos desdobramentos de tais equívocos são óbvios e conhecidos – não raramente na própria pele – de muitos de nós.

Penso que é essencial tentarmos exercer o máximo controle possível sobre a vaidade, pois ela pode, com facilidade, nos levar a caminhos espinhosos e destrutivos. Assim, esse é um bom momento para que eu sugira um modo de raciocinar que chamo de "vaidade à parte". Já que não é o caso de tratarmos de nos livrar da vaidade, o mais importante é que consigamos não ser induzidos a erros graves em decorrência de sua interferência nos processos racionais. Todas as emoções podem perturbar nossas reflexões e decisões, mas nenhuma agirá de forma tão perigosa quanto a vaidade.

O que significa "vaidade à parte"? Quer dizer que precisamos saber se determinada pessoa ou situação nos interessa e nos encanta independentemente do que

ela possa nos provocar na forma de prazer exibicionista. Se acharmos que nos interessa de fato, tomaremos uma decisão favorável a ela. Aí poderemos deixar que a vaidade acompanhe nossa decisão e se exerça pela via que foi decidida da forma mais isenta, com o mínimo de influência desse ingrediente da sexualidade.

Se a mulher companheira, leal e afetuosa que um homem sempre buscou é também, segundo ele, muito bonita, nada impede que sinta muito orgulho disso e se envaideça ao desfilar com ela por lugares públicos. A vaidade será exercida, mas não terá interferido no processo racional de decisão. Aquela mulher não começou a ser avaliada pela aparência e pelo potencial exibicionista que trará àquele homem, condição que poderia negligenciar a avaliação acurada de aspectos mais importantes para uma longa e saudável vida em comum. A recíproca, obviamente, também é verdadeira: se às qualidades humanas buscadas por uma mulher se agregarem boa aparência e posição social do parceiro escolhido, tanto melhor.

É essencial tomar cuidado com todos os aspectos emocionais que nos povoam e que costumam interferir negativamente nos momentos em que a razão deveria operar de forma livre e isenta. Isso é ainda mais importante em momentos cruciais, aqueles em que necessitamos tomar decisões fundamentais para o futuro: quando inadequadas, determinarão resultados práticos negativos, que trarão consigo grande sofrimento.

Amor e vícios

Sou forçado a continuar usando o termo "vício" em virtude de ainda não dispormos de outra expressão consagrada e sem qualquer tipo de conotação moral com sentido idêntico. Os vícios relacionam-se com um grande número de condições que estão presentes, em maior ou menor intensidade, na vida de todos nós. Por essa razão, merecem uma reflexão mais acurada. Sou movido por duas intenções: a primeira é mostrar a íntima relação entre eles e o fenômeno amoroso; a segunda corresponde à tentativa de contribuir para a definitiva supressão da forma preconceituosa de pensar, tão comum quando se trata desse assunto.

Ao longo de nossa história, os vícios sempre estiveram presentes. Suas características variaram de acordo com cada época e cultura. No caso do uso de drogas psicoativas, em torno do qual surgiram as primeiras reflexões sobre o tema, penso que nós, os humanos, sempre buscamos algum tipo de entorpecimento atenuador das dores que nos têm perseguido e às quais ainda não demos uma solução adequada. **Para as celebrações grupais foram – e são – usadas substâncias que acentuavam a euforia própria da situação, sendo**

que músicas, danças e banquetes também faziam – e fazem – parte do cenário dessas comemorações. É provável que determinado número de pessoas passasse a fazer uso das substâncias típicas das festas do seu grupo também em ocasiões cotidianas, o que definia uma ligação mais forte, de dependência mesmo, em relação àquela droga.

De alguns anos para cá, o conceito de vício tem se estendido, englobando todo tipo de compulsão à repetição e sofrimento em caso de afastamento. Hoje, os vícios são quase sinônimos de situações nas quais a pessoa desenvolveu forte dependência psicológica, acompanhada ou não de dependência química. Minhas considerações dizem respeito essencialmente aos aspectos relacionados com a alma – ou mente. Não desconsidero os fenômenos químicos relacionados com o estabelecimento de dependência no cérebro. Porém, penso que não são os essenciais em muitas das inúmeras situações que podem nos causar dependência.

Já em 1975, concomitantemente com alguns outros autores que estudavam o fenômeno amoroso, registrei as importantes semelhanças entre o amor e as graves dependências das drogas psicoativas. A paixão assemelha-se, em muitos aspectos, às mais graves dependências (como é o caso, por exemplo, da heroína). A falta que o ser amado nos faz é similar à do cigarro, que, mesmo provocando poucos efeitos psicológicos, é capaz de determinar brutal dependência. A pessoa

se acalma e se apazigua na presença do ser amado – ou do cigarro! Sente uma falta terrível na sua ausência, de modo a não poder ficar mais do que algumas horas longe e sem notícias. Qualquer risco de ruptura do elo é vivido como dramático, provocando sintomas similares aos das "crises de abstinência" comuns quando o usuário de uma droga se vê afastado dela.

O cigarro é sempre um bom termo de comparação porque é o vício mais conhecido de todos. As semelhanças são indiscutíveis e, mesmo sem subestimar a dependência química, a maior dor na sua ausência é de natureza psicológica. Para o fumante, a constatação de que o maço está no fim e não existe outro à disposição já pode causar grande sofrimento – e é claro que aí não podemos falar dos aspectos neurofisiológicos, que ainda não entraram em cena.

Meu ponto de vista é o seguinte: o que aproxima o amor do uso de drogas e da constituição de certos comportamentos capazes de determinar o vício é a dependência psicológica. A falta que o amado nos faz é muito parecida com o desejo lancinante que o fumante sente quando não consegue se "deleitar" com um cigarro. Sensações idênticas acontecem com os usuários de outras drogas, objetos ou situações nas quais se esteja viciado. Em todos esses casos, inclusive na paixão, estaremos dispostos a enormes sacrifícios para ter acesso ao que tanto desejamos – ou, melhor dizendo, tanto necessitamos.

Sempre que me atenho a esse assunto sinto-me perplexo diante do modo de pensar e de agir da maioria das

pessoas. Parece que elas são incapazes de se afastar do ponto de vista "oficial" da sua época e dos padrões que regem as condutas próprias de "todo mundo". A paixão é vista como uma das maiores delícias e todos querem vivenciá-la. As drogas são tratadas como algo nefasto e doentio e quase todos criticam os usuários daquelas que são ilegais. E, na essência, paixão e dependência de drogas percorrem exatamente as mesmas rotas, provocando sintomas idênticos!

O tema que estamos discutindo é, pois, o da dependência. Ela pode se constituir em relação a tudo que venha a atenuar nossa inexorável sensação de desamparo. Desde o nascimento sentimo-nos incompletos, inseguros e desamparados – quando não desesperados. Com o passar dos anos, desenvolvemos habilidades práticas e elas nos tornam mais independentes, capazes de sobreviver sem a ajuda dos adultos. Acontece que isso não é suficiente para aplacar nossa insegurança, uma vez que, com o desenvolvimento e a sofisticação da razão, compreendemos cada vez melhor que estamos desamparados também do ponto de vista cósmico!

Assim, o crescimento nos permite ficar mais confortáveis e menos dependentes dos adultos. Aí deparamos com o desamparo metafísico, com o fato de que não sabemos de onde viemos, para onde vamos e por quanto tempo estaremos por aqui. Somos um pequenino grão perdido na imensidão do universo, sabendo muito

pouco a respeito de tudo que nos cerca. Isso não é fácil. Acredito que esse desamparo, que vivenciamos por meio do conhecimento ao longo dos últimos anos da infância, reforça aquele de natureza física contra o qual já estávamos desenvolvendo algumas aptidões e controles.

Como expliquei anteriormente, a mãe é, sem dúvida, o primeiro e grande elemento atenuador da sensação de desamparo físico, que é máximo na fase inicial da vida. Sua ausência nos desespera, ao passo que sua chegada nos alegra e tranquiliza. Se ela tiver nos acostumado a ouvir algum tipo de música ou a certos movimentos que têm por objetivo embalar o sono, nós nos apegaremos a isso, de modo que sons e movimentos parecidos poderão nos provocar sonolência ao longo de toda a vida.[11]

A substituição da mãe por outras pessoas no decorrer da vida adulta não altera substancialmente o mecanismo. Elas terão exatamente a mesma função: a de atenuar, com sua presença, a dor do desamparo. O desamparo metafísico reforça o físico e, para a maioria das pessoas, esconde-se por detrás dele. Isso significa que costumamos dar muito pouca atenção a essas questões mais amplas, entre outras razões, porque percebemos que elas provocam perguntas às quais não temos competência psíquica de responder. Não temos os meios de lidar com

11 Não cabe aqui discutir em detalhe o que acontece quando a figura materna é menos protetora e aconchegante. É evidente que muitas dessas crianças crescerão com forte sensação de insegurança, grande sentimento de inferioridade, tendência a se fixar em conceitos rígidos com o intuito de se reafirmar etc. Importantes estudos acerca do assunto foram feitos por autores ingleses que desenvolveram uma teoria relacionada com nossos vínculos originais.

o assunto a não ser pela via das reflexões religiosas, o que não corresponde ao foco das minhas considerações. A atenuação da dor do desamparo por meio de substitutos dos "remédios" originais é parte essencial dos fenômenos amorosos adultos. Com o passar dos anos, a questão amorosa se torna mais complexa, pois a ela são acrescentados outros ingredientes, tanto de natureza sexual como intelectual. Pode mesmo parecer que perdeu o caráter original – de ser fonte de aconchego –, mas não é essa minha opinião.

O substituto da mãe também pode ser um objeto – o que talvez tenha certas vantagens sobre outro ser humano. De acordo com minhas observações, os objetos com maior chance de sucesso nessa empreitada são aqueles relacionados com a boca, meio de aconchego máximo durante os primeiros tempos, que são regidos pelo prazer da alimentação e pela aproximação física com a mãe. **Assim, a primeira substituta, de natureza inanimada, da mãe será a chupeta! As crianças tendem a se apegar intensamente a ela, já que sua presença lembra a sucção do seio, provocando, ainda que de forma incompleta, sensações apaziguantes. Repito aqui uma frase que já utilizei em outras ocasiões: a chupeta é o nosso primeiro vício.**

Podemos definir vício como o estabelecimento de uma relação afetiva com um objeto inanimado – e também com situações. Trata-se de uma definição incompleta, e desconheço outras mais abrangentes. Porém, ela permite refletir melhor sobre a questão, pois não carrega nenhum preconceito. Ao contrário, nos conduz à abordagem que trata os vícios como algo próprio de nossa espécie. Nossas dores nascem conosco e pedem "remédios" ao longo da existência. As drogas atenuam de forma imediata e visível os sofrimentos que nos perseguem. Outras circunstâncias o fazem de forma mais sutil – mas que, aos poucos, pretendo tentar esclarecer.

O vício está, pois, relacionado com as condições que, como o amor, atenuam as dores do desamparo. É por essa via que se estabelece a forte ligação, além das drogas, com um objeto ou uma situação. O objeto nos interessa porque sua presença nos apazigua. Em virtude disso, acabamos dependentes dele, do mesmo modo que podemos, com facilidade, passar a depender de pessoas e também de animais domésticos. Uma vez que a sucção da chupeta provoque gratificação em uma criança, ela ficará triste – ou mesmo desesperada – quando o objeto não estiver por perto. Vai se empenhar muito para obter de volta aquele "bem" tão precioso. Acabará muito ligada à chupeta, amiga querida.

Ao longo da vida adulta e mesmo em pessoas intelectualmente sofisticadas, estabelecem-se novos e fortes vínculos com objetos. Normalmente, eles buscam atenuar o desamparo metafísico: a imagem de um santo, uma figa, uma pedra especial que a pessoa carrega consigo o tempo todo, uma cédula de dinheiro, enfim objetos aos quais atribuímos poder protetor contra adversidades a que estamos sujeitos. São evocados de forma

mais insistente em situações de medo intenso: na iminência de uma intervenção cirúrgica em si próprio ou em algum ente querido, na hora da decolagem do avião etc. Os amuletos "representam" uma divindade protetora assim como a chupeta "representa" nossa mãe!

Uma vez estabelecido o elo, será sempre muito difícil rompê-lo. Tudo leva a crer que nós, os humanos, associamos com facilidade muito maior do que dissociamos! O afastamento de um objeto querido provoca dor, uma vez que o desamparo volta a se manifestar. Assim, a supressão da chupeta terá de ser negociada, de modo que a criança receba algum tipo de recompensa suficientemente estimulante para que ela vença a dor relacionada com a renúncia. Depois de alguns dias longe da chupeta ela se habituará à vida sem ela, podendo até mesmo sentir orgulho de já ser suficientemente crescida para dormir sem esse tipo de ajuda.

Porém, a inquietação oral que representa fisicamente o desamparo jamais desaparecerá por completo, de modo que esse primeiro vício será, sem que nos apercebamos, substituído por vários outros ao longo das décadas. O primeiro substituto da chupeta poderá ser o dedo – ou algum tipo de lenço. Depois virá a prática de roer as unhas – que geralmente se estende por toda a vida adulta. Mais tarde será o consumo de balas e doces em geral. Em seguida, algumas crianças tentarão atenuar a dor do desamparo – já que ela costuma se expressar como um vazio, um buraco justamente na região do estômago – por meio da ingestão exagerada de alimentos de todo tipo.

Depois virão as gomas de mascar, que também nos acompanharão vida afora, substitutos óbvios da chupeta. Em seguida, e já no início da puberdade, chega a vez do cigarro de nicotina. Aqui entram em jogo novos e importantes ingredientes, todos eles muito relevantes para o entendimento mais completo da questão dos vícios. O primeiro deles tem que ver com uma eventual dependência química. O fato de não tratar aqui dos detalhes desse aspecto não significa que desconsidero sua importância, especialmente no que diz respeito à perpetuação do uso de certas drogas e também às dificuldades que os usuários enfrentam em sua supressão. Costuma ser o componente mais importante dos desejos lancinantes que as pessoas sentem quando tentam abandonar o vício. Se não estiverem muito bem preparadas para enfrentar esse tipo terrível de dor, que se manifesta tanto de modo físico como psíquico, tendem a reincidir no uso da droga que haviam decidido abandonar.

A dependência química interage e reforça a de natureza psicológica, determinando um complexo denso e intenso, difícil de ser rompido. Isso não significa que devamos pensar, como é comum na atualidade – em que aspectos da biologia têm sido tratados como mais importantes do que os da psicologia, como se o corpo fosse mais relevante que a alma –, que o essencial na questão seja a dependência química. Espero que o avanço do entendimento de nossas peculiaridades bioquímicas não seja usado com o intuito de limitar o interesse das pessoas por nossos problemas existenciais.

Um segundo ingrediente relacionado com o início do uso do cigarro por parte dos adolescentes está ligado à constituição dos grupos de jovens. Eles se estabelecem em virtude do surgimento da necessidade de um novo tipo de aconchego, que tem por finalidade preencher o vazio criado pelo afastamento da família. A sensação de desamparo e solidão cresce muito à medida que tratam de desbravar todos os aspectos da vida fora dos limites de casa. Vão para a rua porque é essa a expectativa "oficial" que se tem daqueles que vão se tornando adultos. A pressão social é, ao menos aparentemente, direcionada para a independência, enquanto a postura familiar é dúbia e titubeante – querem e não querem que seus filhos "voem" por seus próprios meios. É claro que esse movimento para fora é estimulado pelo surgimento dos fortes desejos sexuais típicos da idade. **Os jovens buscam uma independência para a qual não têm preparo efetivo, de modo que acabam se reagrupando em turmas. Encontram nelas um importante remédio para o mal do desamparo. Tendem, pois, a se apegar ao grupo, identificar-se com ele, depender dele e se comportar de acordo com as regras que aí forem se constituindo.**

Não é raro – e no passado era muito mais frequente – que uma das muitas regras que determinem a aceitação nos grupos consista em fazer uso regular do cigarro. Trata-se de uma prática reconhecidamente maléfica para a saúde, sendo por isso mesmo malvista pelas famílias – nas quais sempre existem os fumantes envergonhados, adultos que ainda não conseguiram se livrar do vício.

O cigarro passa a ser um dos símbolos que caracteriza aquele grupo, junto com um modo peculiar de se vestir, de falar e de se portar. Os vínculos afetivos familiares, que causavam dependência amorosa, são substituídos pelos elos que se criam entre os amigos. As alianças grupais funcionam como um entreato, como um porto seguro e transitório. Sim, porque basta que um membro comece a namorar para que se afaste da turma. O inverso também é verdadeiro: se o namoro se romper, ele imediatamente tentará restabelecer os laços com o grupo que havia abandonado.

Visto dessa forma, fica claro como é fácil um jovem se iniciar no uso do cigarro – e, mais tarde, de qualquer outra droga. Trata-se de um processo simples, no qual o desejo de se integrar ao grupo leva à superação dos obstáculos iniciais relacionados com a desconfortável inalação da fumaça.

Um terceiro e fundamental ingrediente reforça ainda mais o processo de acoplamento dos jovens ao cigarro: a vaidade. O convívio grupal determina forte apego, uma vez que se sentem aconchegados por fazerem parte dessa nova "família". O grupo tentará se fazer notar de modo especial, se destacando por meio de suas peculiaridades, dos traços que façam dele "único, melhor, mais amadurecido", mais competente para despertar interesse sexual. A publicidade do cigarro – quando era permitida – sempre foi construída em torno de transformar seu usuário numa criatura particularmente sensual. **É curioso que um óbvio substituto da chupeta possa ser visto como símbolo de um modo adulto de ser, como sinal de amadurecimento!**

É muito interessante notar como fatores econômicos interferem na constituição das normas sociais e até que ponto as estratégias de que se valem os grandes conglomerados – quais sejam, as da publicidade direta e indireta, aquela que colocou um cigarro na boca de todos os astros e estrelas do cinema dos anos 1940 – são poderosas. O cigarro, que não tem nenhum efeito positivo, só nos ajuda mesmo porque provoca um bem-estar que deriva de nos livrarmos da desconfortável vontade de fumar – criada pelo cigarro anterior –, pode se transformar em um importante símbolo erótico. **Seu portador pode vir a se sentir um objeto de desejo sexual, uma pessoa importante, extravagante – apesar de estar fazendo tudo igual a tantos outros – e superior. Nada pode interessar mais à vaidade de um adolescente do que algo que o faça sentir tudo isso.**

Será, pois, presa fácil. O bom senso que deriva da razão parece ser, ao menos nessa idade e para a maioria dos jovens, muito menor do que a pressão da cultura. No caso do cigarro de nicotina, a influência social se reforçará incrivelmente pela dependência química que se estabelece em nosso sistema nervoso, de modo que nós, que deveríamos ser criaturas biopsicossociais, nos comportamos, com enorme facilidade, como seres biossociais!

O apego que o cigarro determina é, pois, muito mais forte do que a dependência de objetos durante o período infantil. Nosso primeiro vício "adulto" contém o ingrediente de natureza oral com o qual nos deleitamos durante a infância. No início, é algo que nos identifica com o grupo, e pertencer a ele é fundamental para que nos sintamos menos desamparados e menos solitários. O uso regular determina a dependência química, ou seja, o sistema nervoso passa a se ressentir da falta de determinada concentração de nicotina, o que provoca mal-estares e desejos lancinantes de uma nova dose. Além disso, é um símbolo de status, altamente ligado ao erotismo relacionado com o caráter exibicionista da vaidade.

O cigarro passa a funcionar como um objeto pelo qual sentimos afeto, transformando-se de forma sutil e inesperada em um importante atenuador da solidão. De repente, sentimo-nos aconchegados apenas por termos um maço de cigarros no bolso! Inversamente, poderemos ficar desesperados se não tivermos uma quantidade suficiente deles em uma situação qualquer em que seja mais difícil consegui-los. Está composto um vício intensíssimo e difícil de ser rompido. O cigarro, que, insisto, não nos provoca nenhuma efetiva sensação de bem-estar, transforma-se em nosso "amigo" dileto, companheiro das horas difíceis, dá-nos segurança e, ainda por cima, nos faz atraentes e sensuais.

O vício do cigarro transforma-se em um processo tão intenso, com conexões tão profundas com os fenômenos psicológicos mais íntimos das pessoas que elas, mesmo cientes dos seus malefícios, têm enorme dificuldade de romper a "relação" que se estabeleceu com ele. Mesmo quando surgem os envolvimentos amorosos adultos, tão ansiados porque correspondem novamente à forma interpessoal de atenuarmos a sensação de desamparo, não se consegue simplesmente substituir o cigarro pelo novo parceiro. Fica-se com os dois.

Esse cilindro branco pode vir a ocupar um papel extraordinário na vida íntima de pessoas inteligentes e bem preparadas intelectualmente. Muitas delas preferem morrer mais cedo a abandonar o cigarro. Não se julgam com força suficiente para suportar a dor envolvida nessa ruptura, que é de natureza idêntica à que existe quando são quebradas importantes alianças amorosas. Parar de fumar é o mesmo que se afastar, voluntariamente, de alguém percebido como a pessoa mais importante de nossa vida. Espero que isso ajude aqueles que não fumam a parar de subestimar as dificuldades que os fumantes encontram nas inúmeras tentativas que fazem para se livrar do vício. Para começar a fumar basta ser um adolescente desavisado. Para abandonar o vício a pessoa tem de lançar mão de toda sua potência psíquica, subproduto privilegiado da alma daqueles que conseguiram se tornar um pouco mais "senhores" de si mesmos. A razão foi – como tem sido em tantos aspectos da nossa vida – facilmente derrotada pela pressão social e pela dependência química no momento em que se estabeleceu o vício; porém, é a

mesma razão que poderá salvar a criatura das amarguras relacionadas com os malefícios físicos derivados do uso regular do cigarro. Poderá também aumentar muito a autoestima daquele que, numa ação quase heroica, for capaz de vencer um obstáculo dificílimo.

O vício acarreta, pois, um forte componente relacionado com o estabelecimento de um elo afetivo com um objeto ou com uma situação, o que atenua a sensação de desamparo que nos acompanha ao longo de toda a vida. A esse componente se acopla, a partir da puberdade, o poderoso ingrediente erótico relacionado com a vaidade, de modo que o convívio com determinado objeto ou modo de ser provoca a sensação de sermos especiais, destacados e mais sensuais. Tais elementos já seriam mais que suficientes para estabelecer uma aliança entre a pessoa e o comportamento em questão. Imagine, então, o que pode ocorrer se o cigarro não for de nicotina e sim de maconha. O contexto em que se fuma maconha, ao menos no início do uso, é o mesmo do cigarro, ou seja, se caracteriza por uma aliança grupal. É fato que, do mesmo modo que no amor, segredos em comum agregam grupos, mesmo os maiores, principalmente se forem relacionados com situações proibidas, clandestinas.

Os grupos que se caracterizam pelo uso de drogas cuja comercialização não se dá pelas vias oficiais tendem a se tornar extremamente próximos, uma vez que, ao menos em aparência, veem a sociedade como adversária, opositora. O forte elo afetivo é capaz de oferecer o suporte emocional suficiente até mesmo para a manutenção do comportamento transgressor das normas usuais. **Ficar na margem e em oposição aos padrões que derivam da pressão social exige uma força interior que a maior parte dos jovens, individualmente, não tem.** Eles ficam muito mais dependentes do seu grupo de referência do que aqueles que não adotam nenhum tipo de conduta proibida.

É possível que esse mesmo tipo de aconchego, em intensidade ainda maior, exista naqueles grupos que se unem, também à margem do processo social, em torno de ideais políticos ou religiosos. Eles tendem a desenvolver uma ideia de superioridade perante os demais membros da comunidade e em relação aos grupos que se formam segundo outros valores. Assim, também exercem a vaidade, que pede destaque, ao mesmo tempo que obtêm o aconchego de que tanto necessitam. Aconchegam-se e destacam-se simultaneamente. É evidente que esse tipo de contexto é propício para a perpetuação do grupo e o estabelecimento de uma dependência enorme. **Nesse caso, como em tantos outros, as pessoas procuram a independência e acabam encontrando uma nova e mais intensa forma de dependência. Não poderia ser diferente, uma vez que os "remédios" para a sensação de desamparo são bem-vindos e geram dependência. Além disso, tudo que alimenta nossa vaidade é mais que desejado e gera dependência ainda maior!**

No caso da maconha, e também das outras drogas que agem de modo eficiente no sistema nervoso central, um novo e relevante ingrediente deve ser acrescido a esse complexo de fatores relacionados com o vício. Trata-se do efeito farmacológico da droga sobre nosso estado emocional, proporcionando uma sensação de bem-estar, tranquilidade ou excitação e euforia – isso, é claro, para aqueles que se dão bem com aquela droga e tendem a fazer uso contínuo dela. Surge assim mais um importante atenuador da sensação dolorosa de desamparo da qual sempre desejamos nos livrar, qual seja, o efeito apaziguante ou euforizante da droga. Cada droga provoca um tipo de efeito. No entanto, sempre trará alguma sensação percebida como agradável para o usuário e provocará algum bem-estar. É o que acontece com o álcool, a maconha, a cocaína, a heroína etc. No caso das drogas que exigem o uso de objetos para seu consumo, tendemos a nos apegar também a eles. Assim, sentimos prazer em segurar um copo com gelo da mesma forma que nos apegamos ao maço de cigarros – e, eventualmente, até mesmo a seringas.

Descobrimos que determinados estados mentais trazem-nos grande alívio em relação aos conflitos existenciais que tanto nos perseguem. Podemos descobrir isso por meio do uso de drogas como o álcool, experiência quase universal. Percebemos depois que os estados de plena concentração em algum assunto ou sensação também levam a essa parada no processo psíquico cuja atividade provoca as sensações desagradáveis. Aprendemos que a excitação sexual afasta nosso pensamento de todo tipo de ansiedade ou medo – da vida ou da morte. O mesmo acontece quando vemos um filme capaz de prender completamente nossa atenção. Algumas pessoas se esquecem da vida quando estão lendo um bom romance, ouvindo suas músicas favoritas ou acompanhando seu esporte preferido. Tendem (com razão) a se apegar a essas atividades que constituem a essência do que os adultos chamam de lazer e provocam sensações que, em muitos aspectos, são semelhantes às provocadas pelas drogas que os adolescentes tanto gostam de utilizar para se sentir mais tranquilos e aconchegados.

Todas essas práticas, sem dúvida salutares e bem-vindas, têm o objetivo de nos "distrair". Essa palavra indica nossa forte necessidade de evitar alguns pensamentos íntimos, insistentes e penosos. Elas podem se transformar em vício principalmente quando acopladas a um intenso componente de vaidade. Um aspecto considerado capaz de provocar grande dependência psicológica é o jogo erótico da conquista. É claro que nesse caso não se deve, com propriedade, cogitar a cooperação das dependências químicas, mas nem por isso o processo deixa de ser semelhante ao de todos aqueles em que esse elemento está presente. A expressão em inglês para os portadores dessa espécie de obsessão pelas conquistas eróticas que se exercem de forma insaciável é "sex addicts", viciados em sexo.

Considero adequado esse ponto de vista, assim como parece mesmo um vício o modo como as pessoas praticam, fanaticamente, atividades físicas visando melhorar a aparência, emagrecer ou encontrar a juventude eterna. São chamados de "shopaholics" aqueles que jamais se cansam de comprar roupas e outros adornos que têm por objetivo embelezar e despertar olhares de admiração ou desejo. A conexão de muitas pessoas com os processos financeiros ligados à bolsa de valores ou a outros "jogos" especulativos também parece exercer um fascínio capaz de ocupá-las de modo ininterrupto e distraí-las de qualquer outro tema doloroso de natureza subjetiva. A vaidade e o entorpecimento da razão são os principais ingredientes dos vícios desse tipo.

Dois desses vícios merecem algumas considerações especiais: o vício no trabalho – que é o caso dos "workaholics" – e aquele relacionado com os chamados jogos de azar. No caso do trabalho, muitos são os elementos que podem impulsionar o indivíduo ao vício, a focar-se inteiramente em suas atividades e ao descaso com outras variáveis importantes da vida, como a família, os amigos, o sexo e até mesmo os cuidados essenciais com a saúde. **É claro que não se deve desconsiderar o apego ao trabalho derivado do fascínio exercido pela atividade em si. Esse aspecto salutar é uma grande dádiva de que lamentavelmente só uns poucos desfrutam. O que predispõe mesmo ao vício é a grande satisfação da vaidade relacionada com atividades muito prestigiadas socialmente, além dos elementos relacionados com o dinheiro e o poder.**

Os políticos, assim como os grandes empresários, os artistas e os intelectuais são os que mais facilmente se tornam "vítimas" desse tipo de dependência, tratada socialmente como muito digna. A valorização cultural desse tipo de vício, que torna seus portadores admirados e respeitados exatamente em virtude deles, não impede que notemos a forte semelhança com todos os outros vícios: obsessão pelo assunto, tristeza e insatisfação quando se afasta da atividade, negligência com tudo que está ao redor, humor totalmente dependente dos bons ou maus resultados, além de eventual insônia, descaso com a alimentação e tantos outros sintomas sempre presentes nos elos exagerados que estabelecemos com pessoas, objetos ou situações.

Algumas atividades parecem predispor para esse tipo de vício. Um exemplo é a dos médicos, que costumam ser bastante ligados intelectualmente à sua atividade e portadores de uma boa dose de vaidade (acredito que existam diferenças entre as pessoas no que diz respeito à intensidade desse sentimento). Sentem-se muito confortáveis no contexto típico do seu vício. Nos hospitais, onde são tratados com prestígio e respeito, sentem-se mais importantes e aconchegados do que em qualquer outro ambiente. Não são poucos os que preferem trabalhar a sair em férias, relaxar em clubes ou comparecer a festas de qualquer natureza. Além de ganhar a vida, conversar com colegas com os quais partilham interesses em comum, exercer algum eventual desejo sedutor de natureza erótica, ainda podem se sentir bem e realizados por estar sendo úteis! É difícil imaginar uma situação existencial capaz de fazer convergir, simultaneamente, uma quantidade maior de gratificações.

A questão do vício relacionado com os jogos de azar é extremamente complexa e, até onde sei, nunca foi totalmente esclarecida. Acredito que seja uma das situações nas quais a pessoa, ameaçada de importantes perdas, torna-se completamente incapaz de qualquer outro tipo de reflexão. Toda sua atenção se volta obsessivamente para o jogo, o que é sempre muito bem-vindo para quem não tolera bem o convívio com as dores que a consciência nos impõe. O viciado em jogo fica tão entorpecido quanto o viciado em alguma droga poderosa.

Acredito que a vaidade também participa desse processo, uma vez que vencer num jogo regido pelo acaso parece significar algum tipo de aliança com as forças maiores que pressentimos existirem ao nosso redor. Costumamos chamar isso de sorte, enquanto o azar consistiria na ruptura dessa mesma aliança, provocando a dor do abandono e da solidão. Quem joga gosta de correr esse tipo de risco, acreditando, é claro, que um dia os deuses finalmente o favorecerão. É interessante notar que o vício do jogo é mais frequente naqueles que, ao entrarem pela primeira vez num cassino, ganharam somas relevantes. Parece que estão sempre em busca da repetição da façanha, o que para eles seria prova cabal de que são mesmo criaturas abençoadas. Só costumam parar depois de perder tudo que têm.

A impressão que resta dessas considerações é a de que o processo de dependência psicológica inicia-se por meio de ligações emocionais com objetos substitutos da mãe. Passa, depois, pelos elos que se estabelecem nos grupos e pela adesão aos seus costumes – podendo incluir o uso de determinadas drogas, condição na qual entra em cena a dependência química. A partir da adolescência, os mecanismos vão ganhando doses progressivas de vaidade, o que reforça muito os apegos. O outro reforço importante tem que ver com a capacidade de determinada droga ou atividade – tanto faz se valorizada ou rejeitada socialmente – de prender a atenção e afastar as pessoas de qualquer tipo de reflexão existencial. A concomitância de alguns desses ingredientes pode facilmente determinar o vício.

Segundo esse ponto de vista, fica evidente que o tema tem maior relação com a psicologia das pessoas "normais" do que com os estados atípicos ou patológicos. Na prática, isso significa que as questões relacionadas, por exemplo, com o uso de drogas – principalmente pelos adolescentes – são mais difíceis de resolver do que se costuma pensar. Dificilmente acontecerão importantes avanços por meio de decretos ou mesmo com o uso de violência. Considero essencial deixarmos de lado o tipo de reflexão que associa tais condutas a experiências traumáticas específicas ou a situações dolorosas da vida de cada um que se torna, por exemplo, usuário de drogas. A dependência não se estabelece em razão do eventual divórcio dos pais, nem de problemas de ordem econômica, sentimentos de inferioridade etc. As dores relacionadas com a sensação de desamparo existem em todos nós, e são elas que nos levam a buscar algum tipo de alívio.

O tipo de alivio que se busca depende, mais que tudo, dos padrões vigentes em determinado grupo social e também de quanto o grupo valoriza, de fato, a independência. A verdade é que temos sido educados para favorecer a dependência. Com a existência, a partir do segundo ano de vida, de um claro antagonismo entre as tendências para a individuação e as forças retrógradas que nos querem permanentemente ligados às pessoas emocionalmente relevantes, será preciso que os valores que regem a educação das futuras gerações se posicionem com clareza e determinação a favor do crescimento individual.

Sabemos que não é dessa forma que age a maioria dos pais e que os valores da nossa cultura são ambíguos também no que diz respeito a essa questão essencial. Os pais não costumam ter competência para educar seus filhos na direção da independência por serem, eles próprios, muito dependentes dos cônjuges – quando não de seus próprios pais – e até mesmo dos filhos. Ou seja, não terão interesse efetivo na independência da prole, pois se isso acontecer cada um cuidará de sua vida e buscará seus caminhos. Isso se choca com a necessidade dos pais de que os filhos, mesmo crescidos, continuem a gravitar ao redor deles, gerando-lhes acon-

chego. A partir de certo momento, são os pais que necessitam da proteção e do carinho dos filhos, sempre com o objetivo de atenuar as suas dores íntimas. Pais e avós são tão infantis e incompetentes para a solidão quanto seus filhos e netos.

Educar para a individuação significa expor as crianças ao desamparo e ajudá-las a suportar a dor que daí decorre. Implica ensinar a elas, desde cedo, que não existe a menor possibilidade de nos livrarmos dessa dor, de modo que o melhor a fazer é conhecê-la e aprender a aceitá-la e a conviver com ela. Porém, o que elas veem a seu redor? Observam seus pais e outros adultos significativos buscando ininterruptamente meios de fugir das dores da vida em vez de enfrentá-las. Observam os pais ingerindo bebidas alcoólicas para se acalmar, rezando compulsivamente com o intuito de receber alguma graça, trabalhando diuturnamente apenas para preencher o tempo, quando não jogando cartas ou outros jogos de computador.

Observam pai e mãe dependentes um do outro, cheios de ciúme e sempre amedrontados diante de eventuais perdas afetivas. Observam outros parentes convivendo sem prazer efetivo, sem apreciar a companhia uns dos outros, fazendo de tudo apenas para preservar elos tradicionais e fugir desesperadamente da solidão. Observam os diversos modelos de dependência, praticados por seus pais e todos os outros adultos. Os programas a que assistem e os comerciais que os patrocinam não falam de nada diferente do que observam em casa. Porém, ouvem o tempo todo, da boca dessas pessoas, que deverão se afastar das drogas porque elas fazem mal e podem causar dependência!

Temos um longo caminho a percorrer tanto como indivíduos como nas regras e nos valores que determinam nossa vida social. Quero ressaltar mais uma vez que não iremos a parte alguma enquanto não levarmos a sério nossas contradições pessoais e enquanto não encontrarmos a força interior necessária para superá-las. Não teremos sucesso na formação dos nossos filhos enquanto não compreendermos que a principal arma educacional é o exemplo. Se conseguirmos ser criaturas mais independentes, ou seja, pessoas que se guiam pelas próprias ideias e não pela aceitação incondicional das regras fixadas pelo contexto social, teremos condições de formar nossos descendentes segundo essa postura. Só aí eles tenderão muito menos ao uso de recursos simplistas e infrutíferos com o intuito de aplacar as dores e os dilemas da existência. Enquanto isso não acontecer, teremos de nos relacionar com nossos vícios e ver nossos filhos envolvidos na mesma trama. A visão superficial e moralista torna-se, desse ponto de vista, um tanto primária. As soluções milagrosas merecem ganhar o mesmo adjetivo.

Precisamos compreender a dimensão e a gravidade do que acontece quando uma pessoa, em especial um jovem, deixa-se envolver na trama do vício relacionado com o uso de alguma droga. Se é difícil nos livrarmos de hábitos simples que julgamos já não serem os mais adequados – escovar os dentes de determinada forma, dirigir com o pé esquerdo apoiado sobre a embreagem, cruzar as pernas em vez de apoiá-las sobre o chão, apenas para citar exemplos banais –, que dizer de tentarmos parar de fumar? Começar a fumar é muito fácil: basta que façamos parte de uma turma que tenha isso como norma. Para conseguirmos nos livrar do vício teremos de utilizar toda nossa potência psíquica ao longo de semanas de dor e desespero, afora os meses ou anos de saudade. Não é raro que aquele que consegue se afastar do cigarro comece a comer demais, em particular doces, a fim de tentar atenuar o buraco derivado da dor do desamparo. Por sua vez, parar de comer demais, desenvolvendo hábitos alimentares sadios e corretos, é tarefa dificílima, principalmente para as pessoas mais gordas que têm nesse projeto o seu maior sonho – esse é mais um exemplo de como penamos para conseguir alterar qualquer hábito, mesmo aqueles que não envolvem dependências químicas propriamente ditas.

Começar a ingerir bebidas alcoólicas durante os anos da mocidade é um ritual que, na prática, atinge quase todas as pessoas. Alguns – cerca de 7% de nós – tornam-se dependentes da bebida para conseguir executar certas tarefas ou se aproximar de determinadas pessoas. Com o passar do tempo, ficam dependentes do álcool propriamente dito, droga que também provoca séria dependência química. Abandonar esse vício é tarefa hercúlea, sendo que são muito bem-vindos os grupos de ajuda. Nesse aspecto, cabe registrar o caráter pioneiro dos Alcoólicos Anônimos. O mesmo caminho que tanto influiu no estabelecimento do vício – ou seja, a companhia dos amigos – agora é usado para ajudar as pessoas a se livrarem dele. O aconchego determinado pelos grupos de pessoas que estão vivenciando situações semelhantes é, sem dúvida, de grande valia para que o indivíduo adquira – e mantenha – forças para se afastar da droga. É verdade que muitos se afastam do álcool e se tornam dependentes do A.A. Mas é bem melhor assim. Acontece o mesmo quando algumas pessoas se beneficiam de convicções religiosas recém-adquiridas para se afastar de algum vício: tornam-se fervorosas e radicais no que diz respeito à sua religiosidade. Mas aqui também é melhor assim.

Poucas são as tarefas mais difíceis do que tentar ajudar um jovem a se livrar das drogas. Se já é terrível parar de fumar ou de comer chocolate dispondo do "pleno" uso da razão e da força de vontade para nos socorrer, não é difícil imaginar a dificuldade encontrada por aqueles cuja vida inteira gravita ao redor da cocaína ou de outra droga igualmente poderosa. Os adolescentes não dispõem de força interior para sequer iniciar a luta. As atitudes autoritárias por parte da família e dos médicos, indicando internações à revelia, são muitas vezes necessárias. Porém, são quase sempre inúteis, e a reincidência é bastante alta. É tudo muito triste, sendo que nos vemos, não raro, impotentes, sem ter como ajudar essas criaturas que, como nós, não conseguiram resolver suas contradições em relação à dependência e acabaram seguindo um caminho desastroso.

Espero que tudo isso nos leve a aprofundar a reflexão e a perceber a dimensão dos malefícios que podemos causar ao defender de modo incondicional o amor e a inexorável dependência que a ele se associa. Precisamos nos posicionar de modo mais claro, tornando prioridade a formação de pessoas livres e independentes, que venham a ter uma alma - razão - suficientemente forte para se interpor entre os anseios do corpo e os mandamentos, por vezes ilógicos, da sociedade.

5 cinco

Gostaria de discutir mais profundamente a tendência, comum ainda em nossos tempos, de pensarmos que existe um antagonismo inevitável entre a razão e as emoções. Ou seja, que nossa estrutura psicológica se constituiu forçosamente em oposição à biologia, que a alma existe para "domesticar" um corpo "pecador". As teorias psicológicas contemporâneas, produzidas ao longo do século XX, prestigiaram as emoções, ficando claro que a simples repressão de algumas delas não as impede de agir – e, por vezes, de modo nocivo. Porém, acho que ainda temos de entender melhor as inter-relações entre elas e a racionalidade que nos caracteriza. Da mesma forma, penso que ainda temos muito trabalho para compreender o peso das emoções sobre a constituição das normas da vida em grupo. Insisto mais uma vez que é fundamental conseguirmos manejar essas três variáveis quando se pensa em entender melhor qualquer aspecto de nós, os humanos.

O antagonismo entre razão e emoção é tido como indiscutível no caso do amor, que teria "razões que a própria razão desconhece". Tenho gasto boa parte do meu tempo refletindo e atuando exatamente no senti-

do contrário, ou seja, tentando relacionar o que pensamos e o que sentimos. As pessoas que acham que o código moral só deve se exercer no momento da ação vivenciam uma subjetividade na qual emoções, sensações e pensamentos se inter-relacionam de forma rica e interessantíssima. Não é difícil observar lógica e sentimentos entrelaçados, vivendo os conflitos próprios do fenômeno amoroso. Nas pessoas cuja subjetividade é cercada por uma nuvem de culpa e temor de represálias divinas, a interação entre razão e emoção é bastante menos visível, uma vez que a repressão exclui da consciência as emoções tidas como negativas e pecaminosas. Nesses casos, e só neles, é verdade que as pessoas ignoram o que efetivamente acontece com elas.

Penso que, nos tempos iniciais da psicanálise, a repressão social impunha padrões morais muito rigorosos, de modo que a maioria das pessoas tinha uma vida interior bastante reprimida. Tentavam viver de acordo com o ideal de perfeição vigente na sociedade vitoriana da Europa do fim do século XIX. Para que isso pudesse ao menos parecer possível, era necessário repelir todo tipo de desejo ou sensação que estivesse em desacordo com tal ideal. A repressão parecia ser obra da razão – e estar de acordo com ela –, resultando daí a impressão de que o antagonismo seria inevitável. A própria psicanálise contribuiu muito para que pudéssemos viver nossa intimidade de forma mais livre e rica. Determinou uma forma de pensar menos rígida e se colocou contra esse tipo de uso da razão que pretende sufocar as emoções. Deu início ao processo de interação permanente entre esses dois aspectos de nossa vida interior. Acho essencial trilharmos essa rota até onde formos capazes.

Até hoje não é raro que nos surpreendamos com nossas falas e ações, evidenciando processos que se deram sem o controle da razão. Porém, ao analisarmos seu conteúdo, imediatamente reconhecemos a lógica daquela atitude e a coerência dela com nosso estado emocional. Por exemplo, é óbvia a explicação de um ato falho – involuntário – que faz que uma pessoa exausta, ao sair de casa para o trabalho, no elevador, aperte o botão correspondente ao andar onde mora e não o do térreo. O mesmo acontece quando agimos de forma rude com um colega de trabalho ou com o chefe. A reflexão honesta mostrará que estávamos, de fato, revoltados e irritados com a pessoa. **Determinadas falas ou ações que não esperávamos ter nos oferecem, pois, uma indicação de nosso estado íntimo um pouco antes de nos apercebermos racionalmente dele. O importante é reconhecer que, em certos momentos, podemos avaliar nosso estado de alma mais por meio das ações e das falas do que por qualquer outro meio. Ou seja, sempre haverá coerência entre o que fazemos e o que estamos sentindo. Nossas ações têm lógica e algum bom senso mesmo quando aparentemente não estão em concordância com o que achamos que deveríamos fazer. Fizemos o que queríamos, passando por cima de um freio moral que também atua dentro de nós, em nossa**

racionalidade. Isso significa que temos, por vezes, várias "correntes" agindo simultaneamente, e a que venceu determinou aquela ação inesperada; venceu a "facção" mais forte, que estava em oposição ao ponto de vista que pensávamos ser o dominante. Razão e emoção podem entrar em oposição radical se não entendermos bem esses processos e pretendermos de nós o mesmo ideal de perfeição que a psicanálise tão brilhantemente combateu.

No caso do amor, uma das emoções mais relevantes de nossa subjetividade, penso que a razão passa, a partir de determinado momento da vida, a fazer parte dos processos que determinam nosso sentir e agir. É evidente que o primeiro objeto de amor, nossa mãe, não foi escolhido por nós. É indiscutível que temos por ela, ao menos nos primeiros anos, um amor incondicional, totalmente independente de suas qualidades e defeitos. Só seremos capazes de fazer alguma avaliação racional a seu respeito depois de termos acumulado certa quantidade de informações no cérebro. A partir daí, poderemos compará-la com as mães das outras crianças com as quais convivemos. Com a maturidade, poderemos analisá-la segundo nossos critérios de valor e saber se é ou não alguém cujas propriedades nos encantam. **Aí poderemos continuar a amá-la ou não. Aquelas pessoas que fazem uma avaliação adulta negativa da mãe não raramente sentem grande constrangimento em abordar o assunto, falar da dificuldade que sentem de amar a**

mãe. Esse aspecto da subjetividade ainda é muito influenciado por processos repressivos – parecidos com o que reinava há cem anos a respeito de tantos temas – que nos impedem de pensar e sentir livremente. Continua difícil admitir para si mesmo – e muito mais difícil fazê-lo para os outros – que não se gosta da própria mãe.

Insisto que temos o direito de pensar livremente e de modo incondicional. É fato que muitas mães não podem mesmo ser objeto do amor adulto de seus filhos, uma vez que o fato de tê-los carregado durante a gestação não as autoriza a comportamentos chantagistas e autoritários. Assim, mesmo nossa mãe, que um dia amamos apenas porque por ela fomos gerados e porque era a única pessoa que conhecíamos quando aqui chegamos, só continuará a ser objeto de ternura se estiver de acordo com nossos critérios racionais de valor. É possível que tenhamos para com ela – e ela para conosco – uma atitude de certa condescendência, de modo a desconsiderarmos muitos de seus defeitos e até mesmo as interferências que tente fazer em nossa vida. É o que sobra da incondicionalidade original!

É importante entender melhor o papel da razão na vida psíquica para que possamos desfazer a ideia de um antagonismo irreversível entre razão e emoções, em particular o amor. A razão se torna operante com a aquisição da linguagem, processo que se inicia logo nos primeiros meses de vida. Pelos órgãos dos sentidos, recebe informações do meio exterior. Recebe, por intermédio dos neurônios, informações do interior do corpo. No início da vida não tem como operar, uma vez que depende do acúmulo de informações na forma de palavras. Depois, por meio das correlações que se estabelecem, formam-se conceitos cada vez mais sofisticados. A principal função da razão é, graças à utilização progressiva dos recursos lógicos – incorporados ao mesmo tempo que se aprende a língua própria daquele grupo social –, a de tentar conciliar o maior número possível de variáveis, tanto de possibilidades práticas como de desejos. Ela tentará harmonizar também os códigos de valor que nos chegam como crenças, por intermédio do meio externo, da cultura.

A razão, pelo modo como se forma, é rica em contradições que derivam da coexistência desses conceitos que incorporamos sem grande reflexão – as crenças sociais que nos foram transmitidas de fora para dentro – e de outros que foram gerados por nós mesmos, nossas ideias próprias. Na maioria dos casos, nossas ideias estão em concordância com o que sentimos, uma vez que são geradas sob forte influência das nossas emoções. As ponderações de ordem moral costumam fazer parte das crenças, ou seja, dos princípios e valores que incluímos em nossa subjetividade sem adequada ponderação crítica. Generalizando, podemos dizer que as crenças estão em oposição ao que sentimos, ao passo que as ideias que produzimos levam muito mais em conta nossas emoções e estão em sintonia com elas.

Os acontecimentos relacionados com os encontros amorosos na fase adulta exemplificam de forma clara o que afirmo. Nesse caso, assim como em todos os outros, não creio que seja sábio nem prudente pensarmos sobre razão e emoções de forma hierarquizada, ou seja, considerar o sentimento amoroso superior e os aspectos racionais inferiores. A recíproca também é verdadeira, de modo que pensar de forma inversa também constitui um equívoco. Razão e emoções constituem nossa subjetividade, uma tão biológica quanto as outras, sendo perfeitamente capazes de interagir de modo interessante e criativo, para o bem da nossa qualidade de vida.

Em poucas palavras, penso que a razão é constituída por duas faces: uma voltada para as emoções, que tenta harmonizá-las com o que de razoável se deseja para si mesmo; ela se forma em cada pessoa e está ligada às ideias próprias de cada um. A outra está voltada para fora, para o social, de modo a tentar harmonizar a conduta de cada integrante da comunidade com os usos, costumes e valores consolidados naquele grupo; ela se constitui de propostas prontas, não raramente em oposição às emoções de cada pessoa, e fazem parte das crenças que circulam ao redor de cada novo integrante daquele contexto. As ideias tentam concordar com as emoções, ao passo que as crenças estão sintonizadas com os valores culturais.

As crenças fazem parte do discurso oficial de cada grupo, ao passo que as ideias são típicas de cada pessoa.

A maior parte das pessoas age de acordo com suas ideias e fala em concordância com as crenças sociais. Assim, o aparente antagonismo entre razão e emoção só acontece quando se leva em conta o discurso, que representa a face das crenças. Aqueles que, de fato, vivem de acordo com as crenças experimentam efetiva dualidade entre razão e emoção. Sofrem muito, por vezes reprimem – ou seja, subtraem da consciência – suas emoções e ideias. Porém, quando observamos suas ações, ficam claras as emoções e a lógica das ideias que as regem.

Não constitui desabono nenhum, portanto, considerar que o amor se estabelece, em grande parte, em decorrência de termos detectado na outra pessoa determinadas propriedades que nos despertam a admiração e o interesse. O mecanismo pode até parecer um tanto mágico, pois, de repente, alguém que víamos como neutro transforma-se em essencial, vital. Não é raro que todo o processo de encantamento aconteça em curto período de tempo, o que contribui para essa sensação de que algo de irracional ocorreu. Muitas são as vezes, no entanto, em que o fenômeno se dá de maneira diferente, de modo que passamos a ver de forma nova e especial alguém que já conhecemos há bastante tempo e com quem mantínhamos laços de trabalho ou amizade. Pode parecer difícil entender o que de fato aconteceu, porque uma pessoa que era nossa velha conhecida de repente despertou em nós o sentimento peculiar que chamamos de amor – que deriva de nos sentirmos aconchegados. A partir do encantamento, o impacto advindo da presença dela se modifica completamente. O modo como somos olhados nos envaidece e nos faz sentir especiais, únicos.

Vários são os fatores que entram em jogo no processo do encantamento amoroso. Os ingredientes racionais e emocionais se entrelaçam de forma peculiar, de modo que tentarei isolá-los apenas para descrevê-los melhor. O primeiro deles está relacionado com o momento particular da vida de cada um de nós, com o fato de não estarmos plenamente satisfeitos no aspecto sentimental. Quando estamos sós – ou não tão bem acompanhados –, sentimos incompletude e vazio interior, que nos impulsionam na direção do encontro amoroso. **O "buraco" que sentimos nos predispõe para o amor. Isso será tanto mais verdadeiro e intenso quanto maior for nossa dificuldade de lidar com a dor que costumamos chamar de solidão.**

Outro ingrediente que interfere no surgimento da predisposição para o amor é o aumento da coragem de enfrentar o medo correspondente ao fator antiamor – medo de sofrimento em caso de ruptura inesperada e não desejada, medo de perder a individualidade tão duramente conquistada e medo de que a felicidade atraia sofrimentos e tragédias para nós ou para aqueles que queremos muito bem. **O fator antiamor se atenua quando estamos mais ousados e corajosos para a vida, o que ocorre quando a individualidade encontra-se mais sólida e bem constituída – e, portanto, menos ameaça-**

da –, e também quando há a consciência de que a felicidade não atrai tragédias. Nessas condições, que coincidem com um bom momento do ponto de vista emocional, buscamos as aventuras sentimentais das quais fugíamos nas épocas em que os medos predominavam. Se esses dois fatores se somarem, podem fazer que pessoas que antes não nos impressionavam, ao menos "oficialmente", venham a nos interessar.

As escolhas sofrerão sempre a interferência, ainda que parcial, da admiração, do fato de detectarmos na pessoa peculiaridades que nos encantam e com as quais queremos conviver. Esse aspecto é essencialmente racional e sofre a influência das nossas crenças – fatores culturais – e também das nossas convicções, que, infelizmente, não costumam ser muito criteriosas porque são passíveis de grande interferência do juízo que fazemos de nós mesmos – quase sempre para menos do que nosso efetivo valor.

Assim, podemos admirar uma pessoa por ter características parecidas com as nossas ou por serem o oposto do que somos. Se não gostamos de ser tímidos e introvertidos e temos, por isso mesmo, baixa autoestima, tenderemos a nos encantar por alguém que seja falante e socialmente mais exuberante – o que, diga-se de passagem, está em concordância com o que é mais valorizado socialmente, ao menos na atualidade. Admiramos, nos encantamos e não raramente também invejamos a pessoa portadora daquilo que não possuímos.

Escolhas desse tipo estavam, até há bem pouco tempo, relacionadas com os aspectos práticos da vida. As alianças se formavam, ainda sob a influência dos critérios vigentes anteriormente, de forma complementar, com o objetivo de aumentar a competência prática e de sobrevivência daquela família que estava se constituindo. Assim, pessoas mais "mansas" tinham interesse – correspondido – de se aliar a outras mais violentas e agressivas, assim como os tímidos se beneficiavam da competência social de seus parceiros extrovertidos, que também teriam de obter benefícios práticos derivados daquela aliança.

Caso estejamos razoavelmente satisfeitos com nosso modo de ser, nos encantaremos com pessoas como nós, óbvio sinal de boa autoestima e também de competência para resolver as questões da vida prática. Nesses casos, o maior benefício é a boa convivência, muito mais fácil e simples entre pessoas afins. Além disso, a inveja é inexistente, o que diminui significativamente a hostilidade que essa emoção provoca.

Cabe agora fazer algumas considerações acerca da vaidade, importante elemento de nossa sexualidade. Ela influencia quase permanentemente os processos racionais. O faz de modo perigoso, pois pode produzir desvios da rota que melhor nos serviria. A vaidade interferiu na constituição das crenças, assim como na formação e na defesa das nossas ideias. Como não poderia deixar de ser, ela integra e é um dos elementos determinantes do encantamento amoroso. A vaidade é relevante até mesmo na forma como escolhemos nossos amigos. Gostamos de nos orgulhar deles. Seu sucesso, ainda que acompanhado de uma ponta de inveja, parece se irradiar para nós. Gostamos de ser vistos ao lado de pessoas bem-sucedidas e admiradas, pois é como se uma parte do seu prestígio se distribuísse entre os que compartilham sua intimidade. Aqueles que conseguem algum tipo de destaque social sabem que surgirão pessoas que tentarão se aproximar com o objetivo de se destacar socialmente de maneira claramente oportunista – uso o termo para definir um tipo de aproximação que contém interesses de natureza unilateral e de intenções bastante duvidosas.

Sendo a vaidade tão importante na escolha dos amigos, supõe-se que ela participe de modo ainda mais intenso dos processos amorosos. O prazer que muitos homens têm de aparecer em público ao lado de uma mulher bonita e sensual certamente se relaciona com sua vaidade. Ele será admirado por seus pares pelo fato de ter uma namorada bela, como se essa propriedade tivesse se estendido a ele. O mesmo vale para qualquer outra propriedade menos visível, como inteligência, posição profissional, feitos extraordinários de todo tipo, poder econômico etc.

Seria muita ingenuidade considerar que esses ingredientes não contam durante o processo de conhecer uma pessoa nova que nos despertou algum entusiasmo. É impossível que não venhamos a dar peso significativo aos dados colhidos graças às longas con-

versas íntimas que definem o início dos relacionamentos. Também é improvável que essa pessoa não esteja fazendo a mesma avaliação de nós. É mais que evidente que apreciamos estar ao lado de um parceiro romântico em relação ao qual temos muito do que nos orgulhar. Sim, porque as virtudes do amado passam a ser, de alguma forma, nossas também. Essa é uma das razões, como já comentei, para o enorme sofrimento dos amantes clandestinos, condenados a viver seu amor entre quatro paredes.

Não é difícil compreender que esse caminho pode facilmente desembocar no oportunismo. Trata-se de processo psíquico bastante diferente do interesse recíproco ao qual me referi, baseado em trocas que beneficiam e satisfazem ambos os parceiros românticos. O oportunismo implica uma postura unilateral, ou seja, ausência da preocupação de retribuir aquilo que se recebe. Consiste também na sobreposição desse elemento relacionado com as conveniências da associação a qualquer tipo de elemento sentimental. O oportunista não ama. Ele apenas trama. Quem não ama só vê interesses e conveniências práticas. É uma lástima, mas são muitas as pessoas sentimentais dispostas a amar tais criaturas – amor unilateral, sem correspondência alguma, em muitos aspectos similar ao que acontece no amor mais imaturo, aquele em fantasia.

O oportunista só deixará de agir como parasita quando os parasitados construírem um destino melhor para si. Porém, sabemos que a muitas pessoas interessa amar aquelas que só têm interesse prático nelas. Elas funcionam como um desafio à sua vaidade – pois pensam que, aos poucos, conseguirão reverter o quadro e despertar o efetivo encantamento naqueles que só cuidam de suas conveniências. Além disso, sabemos que, se a pressão interna predominante sobre as pessoas for o fator antiamor, isso exigirá que elas amem indivíduos cheios de defeitos, capazes de lhes proporcionar uma cota significativa de frustração e decepção. De certa forma, o oportunismo dos mais egoístas está em concordância com o interesse dos mais generosos, evidência indiscutível de que essa condição também implica imaturidade emocional.

Escolhemos um parceiro amoroso quando estamos disponíveis e temos coragem para isso. Ele será selecionado segundo critérios bem definidos, relacionados com nossa autoestima, com nossa vaidade, com o desejo de nos destacarmos ao lado dele e também de acordo com o equilíbrio existente em nossa subjetividade entre o amor e o fator antiamor. Essas operações psíquicas acontecem em nossa razão e nem sempre são perceptíveis, visto que somos criaturas culturalmente treinadas a pensar no amor de acordo com as crenças, ou seja, que se trata de um fenômeno mágico, irracional e sem lógica. É claro que a racionalidade dessas ideias é mesclada a sentimentos, maneira perfeita de fazer boas ponderações. As ideias, repito, costumam estar em sintonia com as emoções, ao passo

que as crenças estão mais relacionadas com processos sociais - externos - de natureza repressiva. As ideias se inspiram no nosso corpo, ao passo que as crenças recebemos prontas e talvez tenham sido boas ideias no corpo das gerações anteriores. É como se fossem roupas estreitas e fora de moda, que não nos servem mais, mas que insistimos em usar.

O fator antiamor é constituído de alguns medos difíceis de ser superados, a menos que consigamos entendê-los melhor. É o caso do medo da felicidade, essa sensação de iminência de tragédia que nos persegue quando estamos muito bem. A consciência de que esse medo é universal e, felizmente, não tem fundamento na realidade – é uma espécie de resíduo do trauma do nascimento, quando estávamos felizes no útero e de lá fomos expulsos – pode nos ajudar a ter coragem de enfrentá-lo. Com a evolução emocional, condição que nos leva a ter uma autoestima adequada, ganhamos mais força para enfrentar um relacionamento amoroso cuja escolha não esteja tão fortemente associada ao fator antiamor. Assim, o sentimento será muito mais intenso e determinará um envolvimento com as características da paixão, em que os medos acontecem depois do envolvimento – ao invés de impedi-lo.

O equilíbrio entre amor e fator antiamor cria essa condição peculiar, que corresponde à paixão, em que o parceiro é escolhido segundo os critérios de afinidade - os mais adequados -, mas os medos relacionados com esse nível de dependência e felicidade ainda são muito

grandes. A evolução dos relacionamentos passionais seguirá duas rotas distintas: se os medos diminuírem, consolidar-se-á o compromisso amoroso entre pessoas de caráter mais parecidos, com gostos, interesses e projetos de vida afins. Se os medos persistirem, a relação se encaminhará para a separação. Ela é, como regra, atribuída injustamente aos fatores externos em torno dos quais se produz uma construção racional fundada em crenças culturais que encobrem os medos; elas pregam que não se deve abandonar os filhos ainda pequenos, que existe responsabilidade definitiva da pessoa para com um eventual cônjuge, que ela deve o respeito adequado aos valores religiosos da sua família de origem, entre tantos outros argumentos que um dia talvez tenham sido verdadeiros.

As pessoas que finalmente conseguiram se constituir como criaturas inteiras, que já não se reconhecem como metades – apesar de eventuais momentos de desconforto e incompletude – sempre em busca da parte faltante, perdem quase toda a disposição que tinham para fazer concessões. Tornam-se incapazes de aceitar as restrições à liberdade individual que os relacionamentos tradicionais – que deveriam ser entendidos como fundados em crenças, conceitos que ainda são fortes em nossa cultura, mas que não nos servem mais – pedem dos que se amam. Tendo chegado a esse estágio, só se interessam por relacionamentos com pessoas igualmente inteiras. Os vínculos assim estabelecidos são muito próximos da amizade, pois não abalam nem ameaçam a individualidade. Chamo-os, como já disse, de "mais do que amor" ou +amor.

O caminho dos nossos avanços emocionais é irreversível – embora existam algumas fases em que estaremos sujeitos a processos de natureza regressiva –, e fica claro que o encantamento amoroso acompanha essa trajetória de forma bem definida, clara e essencialmente lógica. Tudo acontece de acordo com uma sequência evolutiva, de modo que deveríamos nos empenhar ao máximo na direção da individuação, rota necessária também para chegarmos à felicidade afetiva. A escolha dos parceiros depende, pois, do nosso desenvolvimento pessoal. Conviver com os mais adequados e ser competente para vencer os medos relacionados com o fator antiamor também depende do nosso crescimento íntimo. Deixar-se governar por crenças, pensamentos que incorporamos sem reflexão crítica, é sinal de imaturidade emocional; avanços íntimos dão mais força à nossa capacidade de pensar e concluir por conta própria, abrindo espaço para a constituição de uma racionalidade fundada essencialmente em nossas próprias ideias.

Algumas questões relacionadas com o fenômeno amoroso são aventadas com alguma frequência, e vou fazer algumas considerações acerca de duas delas: afinal de contas, amamos o outro ou apenas gostamos da emoção que sua presença nos provoca? Quem ama o outro será mesmo capaz de sacrificar-se, de abrir mão de seus interesses em favor do que for bom para o ser amado? Não são perguntas fáceis de responder. A primeira questão nos faz refletir sobre quanto o amor está relacionado mais que tudo com nossos objetivos pessoais, de modo que cabe perguntar qual a verdadeira importância do outro ao longo de todo o processo. A segunda trata da capacidade de agirmos de acordo com nossas convicções, ainda que isso se dê em oposição aos nossos interesses pessoais.

Quanto maior for a sensação de vazio, de incompletude e de incompetência para ficar só, tanto maior será a tendência de que a pessoa veja no ser amado o remédio para suas dores. Nesse caso, a presença do outro é indispensável, pois atenua o sofrimento. Cabe afirmar que amamos o outro pelo bem que ele nos provoca. Revoltamo-nos contra ele cada vez que nos decepciona e nos frustra, exatamente da mesma forma como observamos nas atitudes da criança pequena em relação à mãe. A principal diferença entre o amor chamado de adulto e o elo infantil consiste no fato de que o objeto do sentimento não é o "natural". É outro e escolhido segundo os critérios já descritos. Além disso, é fenômeno essencialmente bilateral, ou seja, ambos fazem o papel de adultos e de crianças ao mesmo tempo e de forma alternada. O marido é filho e pai, enquanto a mulher é filha e mãe. Amamos o outro porque ele nos traz o aconchego e a sensação agradável de paz. É a dependência recíproca em ação, em suas mais variadas modalidades.

Além desses aspectos de natureza prática, que nos mostram que amamos o outro pelo bem-estar que ele nos provoca, é indiscutível que a sensação de ter alguém por quem se sente amor é muito agradável. Sentimo-nos, mesmo a distância e longe do ser amado, mais completos, mais humanos, mais emotivos, mais dignos. Assim, não é raro que as pessoas se ressintam por não estar com "alguém no coração", de modo que tardam em esquecer o último relacionamento, fato que só se consolida quando surge um novo objeto de amor.

Nesse contexto, em que reina a dependência, é impossível considerar que a ação das pessoas envolvidas não leve em conta, prioritariamente, seus próprios interesses. Não que deseje que o amado sofra ou passe mal – a não ser nos casos em que a inveja é forte e predominante. Porém, o interesse individual será preponderante, gerando as tendências à dominação e ao autoritarismo que todos conhecemos muito bem. Impossível, nessas condições, pensar no bem-estar do outro em prejuízo dos nossos interesses, uma vez que eles são essenciais para nossa harmonia e serenidade. Seria o mesmo que imaginarmos que uma criança pequena pudesse ficar feliz por sua mãe quando ela o abandona para ir se divertir em uma festa!

As pessoas que completaram a longa jornada em direção à individuação sentem – e pensam – de forma diferente. Não buscam mais encontrar a sensação de completude por meio da aliança sentimental. A maturidade implica, mais que tudo, competência para entender que a sensação de desamparo é inerente a nós em virtude de como fomos gerados, e que o melhor que temos a fazer é aceitá-la e aprender a conviver com o "buraco" que ela nos provoca. Com o passar do tempo, essa consciência vai se tornando aceitável, menos dolorosa. **O interesse no outro como remédio para o vazio deixa de ser conveniente para os que não estão dispostos a pagar o preço da dependência. Ela ofende demais a liberdade tão arduamente conquistada.**

A competência para percorrer essa estrada tão difícil e dolorosa torna a pessoa orgulhosa de si, ciente de sua força pessoal e capacidade de lidar com todo tipo de sofrimento e adversidade. Isso é verdadeiro mesmo para aqueles – a maior parte de nós – que ainda não conseguiram completar todo o percurso e manifestam, vez por outra, sinais de alguma dependência e dificuldade de lidar com o desamparo. Ainda assim, podem fazer comparações, tanto com o modo de agir das outras pessoas – o que nem sempre é um bom indicador – como com a forma como se comportavam em tempos passados.

Pessoas assim constituídas, mais aptas a suportar dores e frustrações, podem atuar em sua subjetividade racional nos padrões que costumo chamar de honestidade intelectual. Ou seja, são suficientemente fortes para lidar com as dores da vida e não precisam mais recorrer aos autoenganos, não querem e nem conseguem mais iludir-se com mentiras, meias-verdades ou crenças que sejam incorporadas sem rigorosa avaliação.

A honestidade intelectual é uma condição que, uma vez alcançada, perpetua-se, já que traz grande alegria para quem a exerce. Ela é indispensável para que uma pessoa possa ser efetivamente livre, ou seja, para que possa agir de forma coerente com o que pensa. Pessoas livres são governadas por suas ideias, que prevalecem tanto sobre as crenças como sobre as emoções que elas não endossam. As crenças serão muito bem avaliadas antes de ser aceitas – condição na qual passam a ter valor de ideias, pois não tem cabimento descartar tudo que aprendemos apenas para fazer prevalecer o que criamos individualmente. As emoções são tratadas como parceiras, e o intuito é fazer que possam se exercer em todas as circunstâncias que estiverem em concordância com as ideias que honestamente defendemos.

Pessoas livres só podem ter interesse em relacionamentos afetivos do tipo +amor, em que o elo se estabelece por força do enorme prazer no convívio, fundado na afinidade e na possibilidade de realizar projetos em comum. Nesse contexto, se tiverem de enfrentar uma situação na qual o interesse do amado seja antagônico ao deles, decidirão de acordo com o que lhes parecer justo. **O sentido de justiça, para pessoas livres e intelectualmente honestas, prevalece sobre o interesse individual. Se for esse o caso, essas pessoas serão perfeitamente capazes de se prejudicar em função do outro.**

Abrir mão de uma atividade de lazer, por mais ansiada que seja, para acompanhar o parceiro que necessite de ajuda por estar vivenciando algum tipo de dificuldade é conduta usual daqueles que se desenvolveram emocional e moralmente. Não é difícil ajudar financeiramente o amigo ou o ser amado – mesmo sabendo que dificilmente será ressarcido –, desde que isso pareça justo. Esses são apenas alguns exemplos singelos e que não excluem aqueles mais radicais, como seria o caso da doação de um órgão para o amado que necessite de um transplante.

Tal atitude de justa renúncia dos interesses pessoais em favor do ser amado costuma ser exercida apenas por pessoas que se constituíram como unidades. Para as outras, será um discurso vazio, de caráter exibicionista, mas que raramente se transformará em ação efetiva e contínua. Ultrapassar os limites do interesse pessoal em favor de suas convicções é para quem pode, não para quem quer. Os mais egoístas sentem prazer em ajudar terceiros em dificuldades não por força da noção de justiça, mas pela vontade de se exibir como pessoas justas e boas; sentem também grande gratificação da vaidade pelo fato de estarem, ainda que por pouco tempo, numa condição de superioridade em relação àquela pessoa em particular – que, no dia a dia, talvez seja objeto de inveja.

Transferindo esse tipo de pensamento para o plano social e político, a maioria das pessoas, em se tratando de atitudes libertárias e idealistas, não poderá ir além de discursos que jamais serão cumpridos. O desenvolvimento individual é indispensável para que possamos pensar em um mundo mais justo. Se as pessoas

mal individuadas vierem a substituir no poder aquelas que tanto criticam, provavelmente acabarão por tornar-se mais parecidas com elas do que gostariam. Uma nova ordem, geradora de crenças novas e mais consistentes, exige uma subjetividade individual diferente.

Eu não poderia encerrar essas considerações a respeito das relações entre o amor e a razão sem antes tratar da existência de um importantíssimo ingrediente irracional envolvido no encantamento amoroso. Entre aquelas pessoas que preenchem os requisitos para que se tornem nossas parceiras, escolhe-se uma. Porque essa e não aquela? Agora sim estamos diante do imponderável! É claro que a existência desse fator, impossível de ser descrito em todos os seus detalhes, não pode ser usada para desconsiderar todos os aspectos racionais presentes no processo amoroso, nem podemos pensar que se trata das flechadas irresponsáveis do Cupido. Não nos encantamos por uma pessoa se ela não tiver tantas e tais propriedades que tentei descrever sucintamente neste ensaio. Porém, isso não basta. É necessário que haja algo mais para que seja a escolhida, a eleita.

É preciso cautela, pois a presença desses ingredientes, que podemos chamar de fator X, pode nos induzir a erros. Sim, porque podemos ficar encantados – muito rapidamente – quando deparamos com alguém que carrega várias características que nos fascinam. Muitas delas têm que ver com os elementos eróticos, mas não é só isso. Algumas pessoas nos atraem sobremaneira não só pela aparência física, mas também pelo modo como falam – e também pelo que dizem – e pelo tom de voz, pelo olhar, pelos trejeitos, pelo modo de andar, de se sentar e até mesmo de se irritar e de gritar. Outras podem ser pessoas muito parecidas com figuras, reais ou imaginárias, que povoaram nosso passado ou nossos sonhos. Não posso descartar a hipótese, no que diz respeito a esses ingredientes imponderáveis, de que as figuras parentais representem, para algumas pessoas, ideais a ser buscados. Também não podemos negar que certos encontros amorosos aparentam ser reencontros. É como se, de fato, existisse a reencarnação e estivéssemos nos reaproximando de figuras com as quais já tivéssemos convivido em outras vidas. É evidente que um profissional de psicologia não pode ir tão longe. Refiro-me apenas às sensações, comuns, de familiaridade, que algumas pessoas relatam sentir apenas alguns minutos depois de conhecer outra.

Esses aspectos, que por ora não podem ser decodificados e avaliados pela via racional, abrem espaço para novas observações e futuras reflexões. O tema é fascinante e apenas representa uma amostra de quanto ainda temos para conhecer.

Do que somos capazes

Uma das questões relevantes acerca da nossa subjetividade é a seguinte: existe uma dualidade intrínseca à nossa condição ou somos governados por um único impulso básico que nos direciona e nos impele? O tema é polêmico e complexo. A existência de uma tensão interna insolúvel e definitiva contribui para posturas mais pessimistas e fatalistas acerca da nossa condição. O ponto de vista que pretendo desenvolver aqui nos permite construir um modelo mais otimista acerca de nossas possibilidades. Muitas vezes penso que o pessimismo tem contribuído para posicionamentos cínicos e moralmente duvidosos por parte de algumas pessoas, enquanto em outras provoca desânimo e inação. Nem por isso cabem considerações ingênuas que subestimem os obstáculos a ser ultrapassados.

Costumamos usar o termo "instinto" para nos referir a uns tantos impulsos básicos presentes em nós, os humanos. A conceituação é imprecisa e é muito difícil que se consiga fazer de outra forma. Penso que os instintos correspondem a processos desvinculados daqueles relacionados com a resolução das necessidades ligadas à sobrevivência física, como a fome, a sede, o frio e as

dores em geral. Estariam mais na linhagem dos desejos, ou seja, anseios que, quando não satisfeitos, não implicam grande prejuízo ao organismo. A resolução das necessidades nos tira da condição de desconforto e nos impulsiona para o ponto de equilíbrio, chamado de homeostático. Os desejos não estão forçosamente ligados a desconfortos que exigem resolução. São menos essenciais; são, de certo modo, facultativos.

Além das necessidades físicas que pedem o fim dos desconfortos e dos desejos que surgem naturalmente em nós, existem desejos e necessidades que nos chegam de fora, do meio social – cujas características foram constituídas pelas gerações que nos antecederam. Nossa inquietação intelectual é responsável pela geração de hipóteses, muitas das quais se tornam fatos. Avanços no entendimento da natureza têm produzido uma competência crescente para modificá-la, gerando produtos que se tornam objetos de desejo. Como exemplo, cito carros, computadores, roupas, equipamentos eletrônicos etc. Muitos desses desejos vão, com o tempo, se transformando em verdadeiras necessidades. É cada vez mais difícil viver, por exemplo, sem um celular!

Objetos de desejo criados por nossa inteligência e nossa ação empreendedora não se inserem na esfera dos instintos. Fazem parte da forma como os seres humanos interagem com o meio físico, com o objetivo de gerar melhores meios de sobrevivência prática; a maneira como se produzem e distribuem as riquezas assim conquistadas definem muitas das normas que passam a vigorar naquele dado grupo social. Eles são, pois, circunstanciais, próprios de cada época e de cada grupamento. **Em síntese, penso que coexistem em nossa intimidade desejos e necessidades inatas e desejos e necessidades que nos penetram de fora para dentro, derivadas da cultura em que crescemos.**

Depois de vários titubeios, Freud acabou por desenvolver um ponto de vista dualista dos instintos humanos. Chamou-os de instinto de vida e instinto de morte. O instinto de vida corresponderia essencialmente à nossa sexualidade, único desequilíbrio homeostático sentido como prazeroso que, justamente em virtude disso, nos impulsionaria para a ação. Estimularia todo tipo de movimento físico e mesmo intelectual. O instinto de morte corresponderia a uma tendência, também presente em todos nós, para a busca da paz, da harmonia e da serenidade, que só poderiam ser atingidas com a morte. A existência desse impulso que nos direciona para a morte seria a explicação para as tendências autodestrutivas que, com facilidade, reconhecemos em nós. Por força desse mecanismo direcionado para a destruição e para a morte, Freud acreditava que nosso maior inimigo era interno e, de forma um tanto definitiva, nos pertencia.

Visão igualmente dualista aparece nos trabalhos de Arthur Koestler[12], autor de reflexões interessantíssimas

12 *Jano*. São Paulo: Melhoramentos, 1978.

acerca dos avanços da ciência ao longo da primeira metade do século XX. Ele menciona, evocando a figura mítica de Jano, o deus de duas faces, a tendência para a individuação que, dentro de nós, compete com outra dirigida para a integração. Queremos sempre ser criaturas únicas, ao mesmo tempo que também queremos fazer parte de uma estrutura maior. Queremos ser Fulano de Tal, único e especial; porém, nos orgulhamos de ser brasileiros, junto com milhões de outros indivíduos.

Koestler generaliza e afirma que tudo e todos somos unidade e parte de algo maior ao mesmo tempo. As células são unidades e partes de tecidos, que são unidades e partes de órgãos, que são unidades e partes de um corpo, que é unidade e parte de um povo, que é unidade e parte do planeta, que é unidade e parte do sistema solar, e assim por diante. Jamais poderíamos nos decidir por uma dessas tendências, pois somos as duas coisas ao mesmo tempo.

A partir do fim dos anos 1970, quando passei a considerar sexo e amor impulsos separados – se não antagônicos –, as questões relacionadas com a dualidade instintiva, tal como ela aparece no pensamento psicanalítico, ganharam importância nas minhas reflexões. Passei, pois, a discordar do ponto de vista vigente, qual seja, de que o amor é parte do instinto sexual – ou instinto de vida. Passei a ver o amor como o sentimento que temos por aquela pessoa cuja presença nos provoca a sensação de aconchego – que gera paz e serenidade. Isso aproxima o fenômeno amoroso do instinto de morte. No início da vida, o prazer relacionado com o aconchego se mescla à resolução das necessidades práticas do bebê. Porém, não é difícil reconhecer a existência de um desejo de proximidade em relação à mãe que transborda aqueles relacionados com suas necessidades.

Como o amor se manifesta espontaneamente no recém-nascido, comecei a trabalhar com uma hipótese, também dualista, mas que abandonava a noção de instinto de morte e opunha o sexo ao amor. Passei a falar em instinto sexual e instinto do amor. Achei que a substituição da noção de instinto de morte pelo do amor trazia vantagens teóricas relevantes. Sim, porque me parecia mais razoável que o organismo buscasse reencontrar um estado de harmonia – aquele derivado da simbiose uterina – do qual já havia participado do que ir ao encontro da morte, condição desconhecida. Afinal de contas, só mesmo para aqueles que creem que a morte física corresponde ao fim de tudo – o que está longe de ser consensual – ela corresponderia ao encontro da paz e da serenidade pelas quais indiscutivelmente ansiamos.

O instinto do amor seria, pois, o responsável pela tendência integrativa descrita por Koestler, uma vez que nos sentimos menos desamparados quando nos reconhecemos como parte de um todo maior. A integração amorosa pode acontecer por meio da aproximação com a mãe – e substitutos posteriores – ou então com a pátria, ou com

Deus. Assim, passei a entender com clareza o sentido da expressão de Jung quando ele se referia à "mãe Terra". Ao longo dos anos da infância haveria claro predomínio do instinto do amor sobre o sexual, de modo que o desejo prioritário seria de natureza integrativa, tanto em relação à família como aos grupos sociais.

O principal desejo da maioria das crianças é ser igual às outras, sentir-se integradas. Os caminhos da individuação – relacionados com o aprendizado das atividades práticas que conduzem à independência, como alimentar-se sozinha, tomar banho, vestir-se etc. – são percorridos com dificuldade e precisam ser bastante estimulados. O desejo de aconchego amoroso predomina na maior parte do tempo. Ao longo do primeiro ano se manifesta quase exclusivamente. A partir do segundo ano de vida, graças aos avanços motores e o início da aquisição da linguagem, surge uma genuína curiosidade intelectual que leva as crianças a se aventurar para longe do colo materno. Porém, retornam a ele logo que se sentem, por qualquer motivo banal, inseguras ou ameaçadas. As atividades individuais têm caráter lúdico e raramente desembocam em genuínos anseios de independência.

É no início da adolescência, com o surgimento dos fortes impulsos sexuais adultos – tanto os ligados ao desejo de aproximação com outros corpos como os que dizem respeito ao prazer exibicionista ligado à vaidade –, que os anseios de individuação tornam-se mais evidentes. A partir daí, o desejo de ser único se exalta e entra em conflito com a persistente busca de aconchego pró-

pria do amor. Ser único e especial significa ser só, ao menos num primeiro momento. Já descrevi os esforços, nem sempre bem-sucedidos, de conciliação dessas duas tendências. Neste momento, apenas desejo ressaltar que o instinto sexual se opõe ao instinto do amor, já que eles buscam gratificações antagônicas.

As contradições relacionadas com essa dualidade costumam estender-se ao longo de toda a vida, a não ser no caso das pessoas cujos anseios de individuação passam a predominar amplamente sobre os de natureza amorosa. Sabemos que tais indivíduos continuam a ser a exceção.

Restava uma questão muito importante: esclarecer as razões de nossas óbvias tendências autodestrutivas, tão bem explicadas pela ideia freudiana de instinto de morte. O instinto do amor relaciona a forte tendência que nos impulsiona para a paz e a inatividade de uma maneira, aos meus olhos, bastante adequada. Essa tendência faz oposição ao impulso na direção da ação e do movimento determinado pelo desejo sexual e pela vaidade. Até aí, tudo bem. Mas como fica a questão da destrutividade?

Em função da minha atividade como psicoterapeuta, venho acompanhando centenas de histórias de paixão que geralmente terminam com a separação dos que se amam. O final doloroso continua a ser o usual, mesmo depois das mudanças sociais que tornaram o divórcio e o casamento contrários aos ditames familiares tradicionais relativamente fáceis de ser consumados. Desde

1980 venho supondo a existência, em nossa subjetividade, de um processo que chamei de "medo da felicidade". Sempre que nos sentimos muito felizes, o que acontece em diversas situações, mas que é uma constante quando estamos bem sentimentalmente, surge em nós um medo indefinido, como se estivéssemos particularmente ameaçados. Todos os rituais de proteção próprios do pensamento supersticioso parecem derivar desse medo, pois temos a sensação de que, ao praticá-los, conseguimos diminuir um pouco o risco de tragédias.

Buscamos desesperadamente a felicidade. Porém, quando nos aproximamos dela, sentimos um medo enorme, como se ela nos fosse proibida, como se estivéssemos entrando em um território que não nos pertence. O fenômeno é universal e varia apenas na intensidade. Ou seja, algumas pessoas "toleram" cotas maiores de felicidade, enquanto outras suportam um limite muito baixo. O importante é que, ao chegarmos perto do limite, ativamos, sem perceber, processos autodestrutivos que visam a nos afastar da terrível sensação de pânico que nos invade quando tudo caminha "bem demais".

As peças do quebra-cabeça começavam a se encaixar de uma forma que me satisfazia – e o faz até hoje. Ao nos aproximarmos dos estados muito prazerosos, vários dos quais se relacionam diretamente com a serenidade encontrada por meio do encaixe sentimental, ativamos os processos que nos induzem a tentar prejudicar nossas conquistas, destruindo parte do que construímos a fim de preservar o que nos parece mais essencial. Assim, os casais que não forem capazes de suportar o medo da felicidade preferirão separar-se, apesar de todo o amor que os une, padecendo de enorme sofrimento, mas agindo de acordo com o que lhes parece ser um projeto maior, o da autopreservação. Sabemos que logo depois se arrependem e buscam a reaproximação amorosa, vivenciando as idas e vindas que conhecemos bem.

O medo da felicidade me pareceu, desde o início, relacionado com a experiência traumática do nascimento. Caminhei pela rota iniciada por Otto Rank[13], importante – e hoje um tanto negligenciado – discípulo de Freud ao longo dos primeiros tempos da psicanálise. Vivíamos em harmonia no útero, nosso paraíso. Nos últimos tempos da gestação, o cérebro já está formado, de modo que nosso primeiro registro corresponde a esse estado. O registro seguinte é o da dramática ruptura da harmonia, do nosso *Big Bang* – em clara conexão com o nascer. Nascer corresponde, pois, à passagem de uma situação boa para outra ruim; trata-se de uma enorme dor.

Penso que se estabelece, em todos nós, uma espécie de reflexo condicionado intenso, de modo que sempre que chegamos perto de uma situação de grande harmonia passamos a temer que outra dor, outra ruptura aconteça. Ao longo da vida adulta, é a morte que nos vem à mente, já que corresponde ao que ain-

13 *The trauma of birth*. Londres: Routledge; Kegan Paul, 1929.

da nos espera – daí talvez a ideia freudiana do instinto de morte. Suspeito que tememos essa nova transição, ao menos em parte, porque atribuímos a ela dores similares às que vivenciamos no nascimento. Para evitar tamanha tragédia, mais que depressa tratamos de destruir parte do que está gerando nossa serenidade e felicidade. O objetivo é diminuir o medo que a plenitude provoca.

Sentimos – e passamos a achar – que as chances de desgraça crescem à medida que ficamos mais felizes. Não é verdade, não é lógico, mas é o que sentimos. O mais grave é que agimos em função dessa sensação e tornamo-nos autodestrutivos. Se não nos acautelarmos e não percebermos que a destrutividade surgiu em função de nossas ações, reforçaremos o medo que a felicidade nos provoca – uma vez que a ela se seguiu uma destruição que nós mesmos provocamos. **Em resumo, tenderemos a ser tanto mais destrutivos quanto mais próximos estivermos de alcançar os objetivos que desejamos.**

Mais recentemente, deixei de considerar o amor um instinto, algo vinculado definitivamente à nossa natureza. Passei a relacioná-lo com a complexa experiência traumática do nascimento. É como se não tivéssemos nos conformado com o fato de termos sido expulsos do Paraíso e insistíssemos em voltar para lá. É como se desejássemos "desnascer".

Essa alteração na forma de avaliar a questão não é irrelevante, uma vez que mudou a conotação atribuída

ao amor. Ele deixa de ser encarado como impulso inato responsável pelas propriedades integrativas e grupais da nossa subjetividade para ser visto como elemento conservador, retrógrado, regressivo. A modificação é, pois, substancial, e pode parecer, ao menos à primeira vista, um tanto radical. Talvez pareça uma heresia fazer afirmações desse tipo acerca daquela que é vista como a mais digna e edificante emoção humana.

Aqueles que têm me acompanhado nessa trajetória sabem que acredito em possibilidades muito mais gratificantes e construtivas acerca do relacionamento entre as pessoas e também entre elas e a sociedade. Sim, porque relacionamentos baseados em sentimentos assim regressivos não podem deixar de conter ingredientes possessivos, ciumentos e bastante nefastos. Temos de nos reconhecer como unidades, valendo-nos de recursos próprios, e não buscar essa sensação por meio da fusão com outra criatura – o que corresponde a uma óbvia e grosseira caricatura do que foi nossa experiência uterina inicial.

Deixei de considerar, pois, inerente à nossa condição a tendência integrativa que se expressa pelo desejo de nos fundirmos com outra pessoa ou nos diluirmos em um grupo. Passei a considerá-la mais um resíduo do trauma do nascimento, parte de nossas resistências contra o ato de nascer. Atualmente, não vejo o amor como uma manifestação instintiva, e sim como uma espécie de "cicatriz umbilical psicológica". Trata-se de um subproduto de uma experiência traumática difícil de ser superada, ao menos na atualidade e por meio dos recursos de que dispomos. Porém, pode ser que esse panorama se modifique em algum momento do futuro.

O amor corresponde, pois, à manifestação mais radical da revolta que sentimos pelo fato de termos tido de abandonar a homeostase vivida na condição intrauterina e termos de passar a vivenciar todo tipo de desassossego e inquietação. Não nos conformamos com o fato de termos sido "desgrudados" de nossa mãe. Buscamos a reconstrução da fusão original com outros indivíduos ao longo de toda a vida, sempre com o intuito de atenuar a dor do desamparo. Trata-se, pois, de uma necessidade, e não de um desejo, afastando-o daquilo que poderia ser definido como instintivo – que corresponderia, de acordo com a definição que propus anteriormente, a desejos que surgem espontaneamente em nossa subjetividade.

Precisamos estabelecer um elo sentimental a fim de atenuar nosso sofrimento, e isso está ligado à resolução de uma dor. Trata-se, pois, de um prazer negativo, aquele que nos tira do sofrimento e traz de volta ao ponto de equilíbrio. Para atingir esse objetivo, a maior parte das pessoas está disposta a fazer graves concessões, ferindo seus direitos e sua liberdade individual. Como não conseguimos suportar as dores derivadas de nos reconhecermos como indivíduos solitários, refazemos – a qualquer custo – elos similares aos que nos apaziguaram no passado. Assim se explicam as características regressivas, infantis, do chamado amor adulto.

Dessa forma, o antagonismo que todos sentimos é constituído por apenas uma força efetivamente instintiva, a de natureza sexual, chamada de instinto de vida. A outra força tem origem traumática, relacionada com a má resolução da experiência de nascer. O melhor nome para ela seria "antivida". Nossa cultura, ao defender a dependência, sempre reforçou a antivida, tida como importante elemento constitutivo dos nossos melhores atos. A realidade é que tais ações estiveram mais que tudo voltadas para atenuar as dores do desamparo. O estímulo à dependência jamais construirá os alicerces de um mundo melhor e mais justo, uma vez que reforça a fragilidade e a incompetência emocional das pessoas. Só quem for verdadeiramente forte poderá ser justo.

Temos cometido um grave erro ao não adotarmos, como grupo social, um ponto de vista que privilegie a individualidade e a independência. Ao defendermos o amor como ele tem sido vivenciado, endossamos o ciúme, a possessividade e todo tipo de servidão. Reforçamos, assim, um reflexo condicionado que se relaciona com a experiência traumática do nascimento – que poderia perfeitamente ser considerado algo a ser objeto de tratamento e não de reforço. Acredito firmemente que todo processo de mudança tem início com uma alteração na forma como pensamos sobre determinado assunto. No caso do amor, deveríamos passar a nos posicionar a favor da vida e não da antivida – ainda que esta surja camuflada e envolta em belas vestimentas.

Precisamos nos posicionar a favor da vida, ainda que isso signifique enfrentar dores e suportar os desconfortos inevitáveis e inerentes à nossa condição. Penso que, ao nos colocarmos dessa maneira, atenuaremos a importância e o poder desse amor regressivo. Acredito que estaremos combatendo também nossa tendência autodestrutiva, firmemente acoplada à antivida, uma vez que ela tem origem no mesmo trauma do nascimento e tem sido reafirmada, durante os anos da adolescência, por influência das normas morais que nos chegaram por meio das ponderações religiosas – hoje questionadas – que privilegiam o sacrifício e a renúncia e desqualificam o prazer.

O instinto de vida é, de acordo com meu ponto de vista, único. Isso corresponde a uma visão monista dos instintos. O que se opõe à plena constituição da individualidade e da unidade do ser humano é um empecilho que pode vir a ser vencido. Isso não significa que o estou subestimando, pois o relaciono com o ato inexorável de nascer. Não penso, porém, que ele seja definitivo, de modo que cada um de nós poderá fazer avanços substanciais rumo à constituição de sua própria identidade e integridade. É provável que um projeto dessa monta venha a se consolidar ao longo de gerações e que cada um de nós faça apenas alguns progressos.

Nosso único instinto, o de vida, nos abastece com dois tipos distintos de prazer: os de natureza corpórea, essencialmente vinculados ao sexo; e os de caráter intelectual, próprios da aquisição de todo tipo de conhecimento. Penso nos prazeres intelectuais como autônomos e geradores de enormes recompensas – ligadas tanto ao usufruto das obras produzidas por outros seres humanos como pelos avanços individuais na constituição das nossas ideias. Têm intensidade comparável aos prazeres de natureza sexual, além de serem quase sempre "contaminados" pelo erotismo relacionado com a vaidade. **Em síntese, somos movidos na direção da vida e da ação tanto pela sexualidade quanto pelo prazer derivado da razão, que nos faz querer desvendar os segredos e mistérios que nos cercam.**

O instinto de vida, se for competente para derrotar a antivida, habitará indivíduos inteiros e independentes, capazes de aceitar pacificamente as dores próprias da nossa condição. Serão, justamente em virtude disso, bastante refratários a qualquer tipo de submissão, que só é aceita por aqueles que não têm forças para aliviar os sofrimentos humanos pelos próprios meios. Pessoas mais individuadas considerarão mais fácil suportar as dores do desamparo do que aquelas que se sujeitam a normas propostas tanto pelo parceiro amoroso como pelo grupo familiar – ou pela sociedade. É claro que estou me referindo apenas às normas que sua razão considera inaceitáveis. **Nosso instinto de vida não pode ver com bons olhos tendências para a diluição ou fusão em grupos de qualquer tamanho. O instinto de vida é incompatível com o amor romântico, da mesma forma que o é com o patriotismo grosseiro e indiscriminado, causador de tantos**

danos terríveis. Em ambos os casos acontece o mesmo processo – a perda dos limites individuais –, pelo qual nos despersonalizamos e ficamos desprovidos de qualquer opinião. Não podemos continuar a ver com bons olhos normas sociais que estimulam a perda das fronteiras individuais, nem achar heroico morrer pela pátria sem saber sequer qual o motivo da guerra em questão. A morte por decepção amorosa não é nada mais digna.

Aquelas pessoas que conseguiram atingir um estágio mais avançado no desenvolvimento de sua identidade preservam-na acima de tudo. Estabelecem vínculos, talvez até de intensidade maior, tanto com pessoas quanto com grupos sociais. Porém, são conscientes do que está lhes acontecendo. Sabem por que estão se aproximando de alguns indivíduos e por que estão se afastando de outros. Podem muito bem participar com fervor das ações de sua comunidade, uma vez que a razão nos leva a ter pensamentos – dos quais derivam sentimentos – de integração. Isso é mais que óbvio se pensarmos que, na comunidade da qual fazemos parte, estamos todos "no mesmo barco".

O termo a ser usado aqui é "integração", e seu significado é muito diferente de fusão ou diluição. Uma pessoa bem constituída participa da vida de seu grupo. É parte dele, mas não se perdeu de seus próprios limites e muito menos abriu mão do seu senso crítico. É solidária e preocupa-se com o destino de sua comunidade. Deseja participar construtivamente dela. Não tem interesse algum em se aproveitar de terceiros e muito menos de se

apropriar do que não lhe é devido. A recíproca também é verdadeira: não aceita ser objeto de abusos e se recusa a satisfazer vontades e caprichos de pessoas mais egoístas. Não é pessoa generosa, pois essas dedicam o melhor de si justamente às mais egoístas. Age socialmente com altruísmo, o que é bastante diferente da generosidade. Altruísmo é dedicação, anônima ou não, a pessoas ou instituições com as quais não se tem relacionamento íntimo; ou seja, trata-se de doações desinteressadas, o que é radicalmente diferente do que acontece na generosidade, em que a dedicação tem foco determinado.

É por meio da constituição de indivíduos fortes e autossuficientes que, um dia, seremos capazes de criar uma vida grupal mais digna e mais justa. É da plena individuação, e não da fraqueza do amor regressivo, que nascerão as emoções e as ações que tanto louvamos e ansiamos. Reafirmo esse ponto de vista consolidado ao longo da minha vivência como médico e como cidadão: as normas sociais são fundadas essencialmente nas crenças, pontos de vista que nem sempre se adaptam à realidade atual. A evolução social se dá por força de mudanças que acontecem na subjetividade dos humanos que fazem parte daquele dado grupamento. Essas mudanças são fortemente influenciadas pelas alterações que acontecem no plano material da sociedade, mudanças que derivam da capacidade humana de gerar novas ideias e de transformá-las em novos bens. As novas formas de refletir sobre as possibilidades que se abrem substituem as crenças que já não davam conta de explicar a nova realidade assim constituída.

Mudamos porque nossas ideias mudam junto com o meio social e o meio físico que nos cerca, porque algumas pessoas intuem novas possibilidades, e elas se transformam em ideias que são aceitas por um bom número de seus contemporâneos. Mudanças nas nossas ideias determinam, direta ou indiretamente, mudanças no meio social em que vivemos, e essas influenciam a forma como pensamos. Nós, os humanos, somos criaturas dinâmicas e em permanente mudança. Só não serão assim aqueles que se furtarem a participar do processo por suportarem mal os períodos de dúvida e incerteza que acompanham as transições. Em qualquer idade, farão parte do grupo dos que se tornaram velhos - conservadores, cristalizados em suas crenças.

Pessoas individuadas e felizes consigo mesmas estabelecem elos afetivos particulares com indivíduos com os quais têm mais afinidades. A solidariedade é uma manifestação afetiva difusa, relacionada com o ambiente social como um todo. Sua contrapartida individual corresponde às amizades, elos especiais que estabelecemos com aqueles – e podem ser vários – cuja companhia nos provoca grande prazer, além de um tipo mais consistente de aconchego que deriva das afinidades intelectuais. O aconchego romântico é de natureza física, determinando "vícios" e concomitantes tendências possessivas.

Nas amizades, além do aconchego de natureza intelectual, operam fatores inespecíficos, que determinam a

simpatia que algumas pessoas nos provocam em decorrência do seu modo de ser. Pessoas individuadas poderão estabelecer, justamente com algum desses amigos, um elo mais intenso que envolva compromissos maiores. Poderão, pois, estabelecer ligações afetivas mais estáveis e compartilhar sua vida com outra pessoa também individuada. Podem, mas não são obrigadas a fazer isso. É ação facultativa. Se for esse o caminho escolhido, o elo sentimental será do tipo +amor, preservador da liberdade e dos direitos individuais.

A preocupação com os próprios direitos e o respeito a eles não significa, em hipótese alguma, que as pessoas individuadas tendam a agir de modo egoísta. Tampouco serão generosas indevidamente, o que só acontece com aqueles que usam suas forças limitadas visando à dominação. Serão capazes, se este lhes parecer o caso, de abrir mão de privilégios em favor de uma causa específica ou mesmo para o bem de um amigo ou do +amado. Isso acontecerá apenas quando acharem que é o caso, que a ação está em concordância com sua noção de justiça. Não agirão de modo generoso a não ser em decorrência de uma convicção racional. É justamente dessas pessoas, tidas como frias apenas porque têm uma razão mais forte e atuante, que partem algumas das atitudes mais comoventes e dignas de que nossa espécie é capaz.

dobre aqui

Carta-resposta
9912200760/DR/SPM
Summus Editorial Ltda.
CORREIOS

CARTA-RESPOSTA
NÃO É NECESSÁRIO SELAR

O SELO SERÁ PAGO POR

AC AVENIDA DUQUE DE CAXIAS
01214-999 São Paulo/SP

dobre aqui

recorte aqui

CADASTRO PARA MALA-DIRETA

Recorte ou reproduza esta ficha de cadastro, envie completamente preenchida por correio ou fax, e receba informações atualizadas sobre nossos livros.

Nome: ______ Empresa: ______
Endereço: ☐ Res. ☐ Coml. ______ Bairro: ______
CEP: ______-______ Cidade: ______ Estado: ______ Tel.: ( ) ______
Fax: ( ) ______ E-mail: ______ Data de nascimento: ______
Profissão: ______ Professor? ☐ Sim ☐ Não Disciplina: ______

1. Você compra livros:

☐ Livrarias ☐ Feiras
☐ Telefone ☐ Correios
☐ Internet ☐ Outros. Especificar: ______

2. Onde você comprou este livro?

______

3. Você busca informações para adquirir livros:

☐ Jornais ☐ Amigos
☐ Revistas ☐ Internet
☐ Professores ☐ Outros. Especificar: ______

4. Áreas de interesse:

☐ Psicologia ☐ Corpo/Saúde
☐ Comportamento ☐ Alimentação
☐ Educação ☐ Teatro
☐ Outros. Especificar ______

5. Nestas áreas, alguma sugestão para novos títulos?

______
______

6. Gostaria de receber o catálogo da editora? ☐ Sim ☐ Não

Indique um amigo que gostaria de receber a nossa mala-direta

Nome: ______ Empresa: ______
Endereço: ☐ Res. ☐ Coml. ______ Bairro: ______
CEP: ______-______ Cidade: ______ Estado: ______ Tel.: ( ) ______
Fax: ( ) ______ E-mail: ______ Data de nascimento: ______
Profissão: ______ Professor? ☐ Sim ☐ Não Disciplina: ______

MG Editores
Rua Itapicuru, 613 7° andar 05006-000 São Paulo - SP Brasil Tel.: (11) 3872-3322 Fax: (11) 3872-7476
Internet: http://www.mgeditores.com.br e-mail: mg@mgeditores.com.br

cole aqui